Roma tascabile

50

Ricerca iconografica: Alberto Tagliaferri

Copertina: E. Roesler Franz, *Portico d'Ottavia,* 1887
Design di Alessandro Conti

Seconda edizione: gennaio 1999
Tascabili Economici Newton
Divisione della Newton & Compton editori s.r.l.
© 1996 Newton & Compton editori s.r.l.
Roma, Casella postale 6214

ISBN 88-8183-374-3

Stampato su carta Ensobook della Cartiera di Anjala
distribuita dalla Enso Italia s.r.l., Milano

---

*Tascabili Economici Newton, sezione dei Paperbacks – Pubblicazione settimanale, 21 gennaio
1999 – Direttore responsabile: G.A. Cibotto – Registrazione del Tribunale di Roma n. 16024
del 27 agosto 1975 – Fotocomposizione: Primaprint s.n.c., Terni – Stampato per conto della
Newton & Compton editori s.r.l., Roma, presso la Legatoria del Sud s.r.l., Ariccia (Roma)*

Armando Ravaglioli

Il Ghetto di Roma

La storia del quartiere ebraico
e la vicenda della più antica comunità romana

Tascabili Economici Newton

Introduzione

Il Ghetto di Roma, detto anche «serraglio degli Ebrei», è stato una entità storico-urbanistica limitata a tre secoli di vita, da quel 12 luglio 1555 quando papa Paolo IV Carafa emanò la bolla *Cum nimis absurdum*, che ne decretava i confini e la chiusura, al 1848 quando, sotto Pio IX, ne vennero definitivamente scardinati i portoni lasciando liberi i movimenti degli Ebrei nel complesso della vita e delle attività di tutti i Romani. Tuttavia il fenomeno della presenza in Roma di una colonia ebraica ben identificata, vivente sostanzialmente separata dal resto della popolazione e in qualche modo segregata in una propria localizzazione topografica, è una costante della vita romana a partire dagli ultimi tempi della antica repubblica per giungere fino ai giorni nostri quando, nell'affermazione di una diversa concezione ideale della convivenza comunitaria e delle strutture socio-politiche, la «questione ebraica» si è dissolta nella composita situazione generale della popolazione romana. In effetti si potrebbe sostenere che, da una parte, quella separazione di un nucleo di popolazione non esiste più, allo stesso modo che in realtà non esiste più il vero Ghetto, distrutto come è stato oltre cento anni fa in un'operazione urbanistica che assunse anche il significato di una redenzione da una storica costrizione.

Ma in effetti, nel concetto comune, il Ghetto esiste ancora in una duplice significazione: in primo luogo, quella dell'insediamento ai limiti topografici di quello che fu il Ghetto storico di una popolazione ebraica limitata nel numero, ma non per questo meno significativa e tale da perpetuare una tradizione ebraico-romana espressa tanto nelle venature particolari del dialetto, quanto in forme di costume, quali quelle della gastronomia[1]. In secondo luogo quel residuo Ghetto materiale fa riferimento alla continuazione di una memoria di un fatto storico di tale durata e consistenza da aver conquistato il carattere di una peculiarità della vita romana: un complesso di comportamenti, un genio di particolari attività economiche, una coerenza ideale che meritano la più alta considerazione ed un grande rispetto. Si direbbe che tanto più lo meritino quanto più ci rendiamo ormai conto della sostanziale ingiustizia del trattamento

---

[1] Vedere in questa stessa collana il volumetto di Giuliano Malizia: *La cucina ebraico-romanesca*.

Il Ghetto di Roma nella pianta del Falda (1676).

riservato per secoli ad una minoranza, un comportamento che andava oltre alle esigenze di quella che, in un certo momento della Controriforma, avrebbe anche potuto apparire comprensibile, come misura di salvaguardia.

Quel Ghetto, espressione materiale di una realtà urbanistica parziale, ma ancora esistente, ed anche ricordo di una complessa contingenza storica, è l'oggetto di questa rievocazione nell'auspicio che questi tempi più maturi continuino a conoscere l'attuazione di una piena tolleranza nel rispetto delle diversità culturali e della verità storica come introduzione ad un sempre miglior rapporto di collaborazione.

IL QUARTIERE EBRAICO ROMANO

Il riflesso difensivo della cattolicità sotto la pressione della Riforma protestante portò ad una politica di *apartheid* nei confronti delle minoranze ebraiche da tanto tempo presenti in tutti i paesi della cristianità. Il loro torto era stato di non aver ambito alla mescolanza culturale ed etnica con le popolazioni maggioritarie, ma anzi di aver voluto conservare la loro specificità nazionale, tetragona ad ogni amalgama e fusione. In ogni luogo della cattolicità venne adottata una politica di netto isolamento dei figli di Giuda in quelle riserve urbane che, dall'esempio e dal nome veneziano (getto), vennero strutturate e chiamate «ghetti». Ma la localizzazione riservata agli Ebrei romani non costituì una speciale imposizione in quanto, con poche rettifiche confinarie e pochi spostamenti di popolazione, essi furono obbligati a rinserrarsi nell'ambiente stesso nel quale risultavano già spontaneamente confluiti per libera scelta e per lo spontaneo riflesso del volersi stringere insieme di tutte quelle minoranze che, per scelta propria, sentono la necessità di darsi un reciproco sostegno nei confronti di un ambiente sentito come estraneo e potenzialmente ostile. La chiusura confinaria venne affidata a Silvestro Peruzzi, figlio del grande architetto Baldassarre, il quale provvide a chiudere aperture di porte e finestre, ad erigere muri e a creare portoni d'accesso, a spese della stessa comunità rinserrata. Quelle strutture di delimitazione rimasero sostanzialmente inalterate nel corso di tre secoli, anche se i portoni d'accesso (per comodità dei reclusi come di coloro che, durante la giornata, si recavano a svolgere commissioni, soprattutto acquisti, nell'interno) furono gradualmente aumentati a cinque e poi ad otto. La stessa delimitazione, in accoglimento delle richieste della comunità ebraica cresciuta di numero, fu a due riprese un poco allargata. Successe con Sisto V, che comprese nel Ghetto l'intera via della Fiumara portando il confine sulla linea del Tevere, e sotto Leone XII, che incorporò nel Ghetto la via della Pescheria (l'attuale, e molto ampliata, via del Portico d'Ottavia) e la via della Reginella. Ma va ribadito che obbligando alla residenza in questa zona non si compì un atto di arbitrio urbanistico, perché già da secoli, dai tempi posteriori all'anno Mille e definitivamente dopo il XII secolo, la colonia giudaica di Roma aveva prescelto quell'ambito territoriale come proprio insediamento. Vi si era ridotta, probabilmente, attratta dalle attività commerciali che si svolgevano nella zona; attività nelle quali la popolazione ebraica sapeva esternare al meglio la propria genialità e vocazione. E ciò rappresentò un indubbio avvicinamento alla normale popolazione romana perché fino a quel punto la localizzazione ebraica era stata nei perimetrali quartieri dei forestieri: in parte sull'Aventino, quartiere di stranieri all'epoca dell'antica Roma, ma soprattutto nel Trastevere, luogo di insediamento dei mercanti forestieri. I toponimi di quei secoli dopo il Mille danno conferma di quel nuovo insediamento, poiché recitano: *contrada Judeorum in regione S. Angelo*, *platea Judeorum*, *ruga Judeorum*, *pons Judeorum* (il ponte Quattro Capi)...

Per rendere omogenea la popolazione furono necessari pochi aggiustamenti, visto che, nell'ambito formalizzato come Ghetto, rimasero solamente un palazzo di cristiani, quello Boccapaduli, e tre chiesette che vennero poco per volta distrutte.

Nei secoli della lunga decadenza romana, dopo la guerra gotica, la residua vitalità cittadina si era andata concentrando negli stessi luoghi dai quali era partita la fortuna e l'espansione della città arcaica, fra l'isola Tiberina e il colle capitolino. Qui nei facili approdi e nella comodità dell'attraversamento del fiume per mezzo dell'isola – gli stessi motivi che avevano determinato la nascita della città sui colli circostanti – si erano raggruppate le misere popolazioni della decadenza romana. Qui si attingeva acqua direttamente dal fiume, qui si potevano scavare proficuamente dei pozzi, qui si avvicinavano a riva i piccoli navigli che arrivavano dal mare, qui soprattutto si trovava abbondanza di materiale edilizio per rabberciarsi degli abituri. La persistenza dei richiami topografici aveva richiamato sul Campidoglio la localizzazione del luogo di scambio, il mercato, presso la sede delle istituzioni cittadine. Era naturale che quella colonia di mercanti nati, costituita dagli Ebrei, dovesse ad un certo punto venire ad insediarsi tra il fiume e il mercato stesso, inserendovisi con la propria laboriosità e con la propria arte di trarre profitto da ogni sorta di rudere e di avanzo. L'ambiente di quello che poi, dalla chiesa diaconale creata dentro le rovine del portico d'Ottavia, si chiamò rione S. Angelo era caratterizzato dalla presenza di grandi e ricchissimi ruderi. Oltre al teatro di Marcello, presto trasformato in fortezza dominante sulla zona, controllata prima dai Fabi e poi dai Savelli, c'erano templi e soprattutto due di quelle zone porticate – quella creata da Augusto in onore della sorella Ottavia, e quella detta «di Filippo», il suocero di Augusto stesso – che fungevano in antico come luoghi di incontro e di ritrovo in alternativa alle terme; c'erano anche diversi templi dai quali erano soliti partire i cortei dei trionfi; c'era altresì, con la ricchezza delle sue ornamentazioni e delle sue statue, il circo Flaminio: in complesso una concentrazione di ricchezze che, pur dopo le tante depredazioni, dovevano ancora presentarsi invitanti. Tanto è vero che moltissime furono le chiese medievali a sorgere nella zona. Dominante fra tutte la chiesa di S. Angelo (S. Angelo *in foro piscium*), rimasta sempre legata alla storia degli Ebrei, benché restata fuori dalla chiusa del Ghetto. Il mercato dei pesci, stabilitosi in quel luogo fin da epoca indeterminata e legato agli arrivi fluviali, resterà nella zona fino agli anni Ottanta del secolo scorso, quando venne creata un'apposita pescheria nella via S. Teodoro, in un locale che viene adesso utilizzato come autoparco comunale. La università dei pescatori graviterà sempre in questo luogo (e qui esiste ancora, benché adibito ad usi profani, l'oratorio della loro confraternita). Anche i mugnai furono sempre presenti nella zona perché fino al 1870 alcuni mulini fluviali furono sempre attraccati all'isola Tiberina e alla riva giudea. Per quanto si riferisce alla pescheria, va ricordato che un certo tipo di folclore ad essa connesso si legava alla zona dominata dalla presenza ebraica: il pesce arrivava con le barche nella notte e all'alba si svolgeva il «cottìo», cioè l'asta per l'assegnazione dei vari quantitativi. La vendita avveniva sulle grandi tavole di marmo che erano collocate nei resti del portico d'Ottavia e che risultavano di proprietà di importanti famiglie le quali, dalla loro prerogativa, ritraevano un notevole guadagno.

Il luogo era più volte all'anno invaso dalle crescite del fiume. Anche quando non si verificavano le vere e proprie alluvioni, con la corrente che irrompeva in vari punti del Campo Marzio e dei quartieri lungo il fiume, la zona degli Ebrei figurava sempre fra i luoghi colpiti per la penetrazione dell'acqua attraverso le fogne con rigurgito fuori dalle cantine. Non per nulla una delle strade del Ghetto fu detta «della Fiumara» (era la strada in cui era nato, figlio di un notaio e di una lavandaia per buoni motivi abitante lungo il fiume, il tribuno Cola di Rienzo). I ristagni d'acqua lasciati dalle alluvioni contribuivano non solamente alla desolazione dell'ambiente, ma anche all'insorgere di malattie epidemiche (durante l'ultima peste di Roma gli Ebrei ebbero ben 300 morti su 2000 abitanti, con una percentuale che superava di gran lunga quella che aveva colpito l'intera città).

La decisione di obbligare gli Ebrei ad una residenza coatta nella zona da loro stessi prescelta non dovette sulle prime essere considerata molto grave da una popolazione che era abituata a periodiche vessazioni ed era divenuta esperta nell'arte di aggirarle. Così era stato per l'obbligo di portare un berretto giallo per gli uomini e un indumento o scialle o nastro sempre di colore giallo per le donne (che era fra l'altro il contrassegno delle prostitute: un accostamento non lusinghiero per le donne; del resto anche le prostitute, ad un certo punto, non furono ristrette in un loro «serraglio» verso S. Rocco, alla maniera del «serraglio» degli Ebrei?). Bene, confidando nel lassismo dei controlli proprio del costume romano, più volte gli Ebrei riuscirono ad alterare il colore del loro distintivo fino a renderlo quasi indistinguibile e a provocare periodici soprassalti di rigorismo che intervenivano a ripristinare le vecchie situazioni.

La creazione del Ghetto previde semplicemente la delimitazione esterna del circuito dentro il quale gli Ebrei dovevano avere le loro abitazioni e i loro ambienti di lavoro (salvo periodici allentamenti dell'obbligo di non avere attività fuori dal Ghetto: si tendeva infatti ad invadere le strade vicine e – quando vi fu la prima apertura del Ghetto, durante l'epoca dei Francesi a Roma – botteghe e magazzini arrivarono fino alla via del Corso). Dentro il circuito del «serraglio» la topografia preesistente non cambiò: rimase lo stesso groviglio di vicoletti contorti e senz'aria che collegavano i due percorsi principali paralleli al fiume; la *via della Fiumara* e quella *della Rua*; alla fine ci fu anche la *via della Pescheria*. Nelle straduzze si aprivano poche piazzette: all'estremità nord c'era la *piazza Giudia* con una fontana del Della Porta, donata da Paolo V e che è stata ripristinata, e infine la *piazza delle Scòle*, dove erano concentrati i luoghi di culto; verso il fiume, si apriva la *piazza delle Tre Cannelle* con la fontana di Sisto V; era in fondo alla via della Fiumara, nella *piazza dei Macelli*, dove si procedeva alla macellazione rituale.

La via della Rua era sede dei commerci minuti; piccoli fondaci straripavano con le loro mercanzie più variate sulla strada: abiti usati, vecchi drappi, oggetti da soffitta e inverosimili avanzi d'ogni tipo. Il Ghetto era un piccolo mondo autonomo e dotato di una propria autarchia, con tutti i servizi attinenti anche al rispetto delle prescrizioni rituali negli alimenti, compresi i forni per i pani azzimi (una via si chiamava *delle Azzimelle*). Le porte del Ghetto, chiuse alla sera, si aprivano di giorno alle visite indiscriminate di quanti ricercavano nei magazzini del Ghetto le *trouvailles* più disparate, quelle che, dopo la scomparsa di queste strade, si trasferirono nell'andirivieni delle strade accosto a Campo de' Fiori.

Su quel piccolo mondo del Ghetto gravavano anche disparati appetiti perché, pur con tutte le riserve storiche e religiose, erano pochi a farsi scrupoli nel far soldi sugli Ebrei o ad avvalersi delle loro arti, dall'astrologia alla medicina, esercitata tradizionalmente con la competenza propria di chi era culturalmente contiguo alla scienza degli Arabi. C'era chi aveva ottenuto il diritto d'un compenso per sorvegliare la chiusura delle porte del serraglio e c'era chi, come i Mattei, pretendeva di riscuotere un diritto fisso quando un cadavere portato alla sepoltura passava il ponte Quattro Capi (d'altronde questo diritto veniva preteso – ma ci fu un intervento papale che risolse la contesa a favore degli Ebrei – anche quando le salme non passavano più per il ponte, dato che il cimitero trasferito sull'Aventino non richiedeva l'attraversamento del fiume, come nell'epoca in cui il cimitero stava a porta Portese).

A noi moderni, anche in base al sentimento della carità cristiana, sembra impossibile che una mistura di arroganza e di cattiveria siffatta possa aver presieduto ad un rapporto con una minoranza, in contrasto con l'abituale comportamento comprensivo ed equanime che è proprio dei Romani!

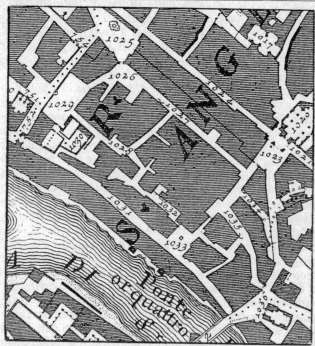

La zona del Ghetto degli Ebrei nella pianta di Roma di G.B. Nolli (1748). I numeri che compaiono sulla piantina individuano le diverse strade e piazze del comprensorio. 752 vicolo dei Cenci (oggi via del Progresso); 1023 piazza di Pescaria con colonne antiche; 1024 strada di Pescaria (attuale via del Portico di Ottavia); 1025 piazza Giudea fuori del Ghetto; 1026 piazza Giudea dentro il Ghetto; 1027 strada della Rua; 1028 piazza dei Macelli; 1029 piazza delle Scòle; 1030 Cinque Scòle degli Ebrei (Catalana, Siciliana, Castigliana, Scòla Nuova e Scòla del Tempio); 1031 strada della Fiumara; 1032 vicolo della Torre; 1033 piazza Tre Cannelle con fontana; 1034 vicolo Savelli con fontana; 1035 strada Quattro Capi; 1036 piazza S. Gregorio a ponte Quattro capi e Congregazione della Divina Pietà.

Dal bordo del Tevere all'allineamento della via di Pescaria (che verrà di poco superato nel 1825, e per pochi anni), dalla linea ponte Quattro Capi-chiesa di S. Angelo al vicolo dei Cenci, oggi via del Progresso, era contenuta tutta l'estensione della chiusa riservata agli Ebrei come domicilio coatto nel complesso della città.

Dentro questo trapezio irregolare si svolse per tre secoli una esistenza comunitaria appartata e dagli sviluppi particolari: essa, pur riecheggiando le forme della vita circostante, era impregnata degli echi del ritualismo religioso, delle formule di antiche preghiere e della saggezza della Bibbia.

Disseminatisi in tutta la città con le loro abitazioni e con i loro traffici, non appena caddero le barriere del Ghetto, gli Ebrei romani conservarono tuttavia nel Ghetto il loro riferimento ideale e, dopo la materiale distruzione delle strutture del loro forzato isolamento, essi mantennero il loro riferimento unitario con la costruzione della nuova Sinagoga.

I governanti ecclesiastici, a parte ritorni di rigorismo specie in nome del diritto-dovere di convertire quanti più Giudei fosse possibile (con le prediche obbligatorie, con il favore concesso a chi domandava il battesimo), non ebbero un costante atteggiamento persecutorio. In fondo, le qualità degli Ebrei nei commerci e nell'uso del denaro potevano tornare utili. Sisto v faceva conto su di loro per i progetti di mini-industrializzazione di Roma che non poté condurre a termine a causa della breve durata del suo regno. Di conseguenza fu longanime con loro. Donò ad essi una fontana, dopo aver portato in città l'Acqua Felice, e concesse un ampliamento dell'area del Ghetto comprendendovi tutta la via della Fiumara fino alla riva tiberina. Fu così che, nella ricerca di spazi per fare fronte alla crescita demografica della comunità, gli Ebrei alzarono proprio sul Tevere quell'erta muraglia di abitazioni a cinque o sei piani, la cui altezza doveva tenere conto anche del contenimento delle piene, almeno fino ad un certo livello. Con tanta gente concentrata in uno spazio ristretto, con un sistema di piccole strade e di vicoletti, con un moltiplicarsi di piccole attività di robivecchi, di restauratori, di raccoglitori di stracci non c'è da meravigliarsi se il Ghetto appariva come una sordida tana, brulicante di una umanità sporca e mal in arnese: fra l'altro, la mancanza d'aria e di sole non conferiva certo un aspetto vivace e ottimistico alle fisionomie.

Con alti e bassi, con sprazzi di atteggiamenti umanitari che inducevano le autorità romane a qualche addolcimento della situazione degli Ebrei e a qualche attenuazione nei divieti, la situazione si trascinò per due secoli e mezzo. L'Ebreo romano sembrò essersi assuefatto alla condizione che gli veniva fatta e che, tolte di mezzo le asprezze occasionali, registrava un certo equilibrio di rapporti non solo tra le due comunità, ma anche e soprattutto nei confronti tra la gente spicciola dell'una e dell'altra confessione. Poi, sul finire del XVIII secolo, si seppe degli avvenimenti francesi: questi traducevano all'improvviso in fatti concreti ed in nuove situazioni sociali quelle concezioni libertarie che erano filtrate anche attraverso le maglie della censura fino a Roma, ma che sembravano illusorie. Fu l'ora della grande speranza nel Ghetto. Alla speranza tenne dietro l'incredibile avvento della libertà imposta dall'armata rivoluzionaria. Per alcuni anni le porte del Ghetto non si chiusero più di notte; nessuno fece eccezione se commercianti ebrei si affacciavano nelle strade per bene; e ci furono membri della comunità giudaica che arrivarono ad assumere cariche capitoline. Fu una sorta di prova generale di quello che sarebbe definitivamente avvenuto dopo cinquanta-sessant'anni. Anzi queste prove, seguite ogni volta da brucianti disillusioni, si ripeterono varie volte nell'andirivieni delle truppe del Direttorio prima, di Napoleone poi ed anche con un intermezzo di invasione napoletana. Seguì la restaurazione, blanda con Pio VII e il Consalvi, più rigida con papa Della Genga, Leone XII, il quale pur rendendosi conto che l'aumento della popolazione

Il Messaggero

Sabato 17 Dicembre 1938 · XVII · S. Lazzaro

IL CONSIGLIO DEI MINISTRI

Gli ebrei debbono denunciare
il loro patrimonio immobiliare
e le aziende di cui sono proprietari

Cessione ad un nuovo Ente dei possessi oltre i limiti consentiti · Valutazioni delle proprietà · In corrispettivo verranno dati titoli al 4 %

Un ritaglio del Messaggero *del 17 dicembre 1938 documenta un aspetto delle restrizioni applicate agli Ebrei dal regime fascista, nella fase di pieno allineamento con la Germania hitleriana.*

del Ghetto imponeva una rettifica di confini del «serraglio» che concedette, rinserrò tutte le maglie delle vecchie prescrizioni. Poi ci furono il 1848 e la Repubblica romana; quindi il ripristino del regno papale con l'involuzione della situazione, anche se le porte non si serrarono più. Il 1870 concluse un'epoca anche per il Ghetto. L'ebraismo romano divenne una componente a pari titolo della popolazione romana, mentre dai seggi delle pubbliche responsabilità occupati l'esponente della comunità giudaica Samuele Alatri risultava quale saggio amministratore ed equilibrato assertore di un giusto rapporto di reciproco rispetto tra Romani ed Ebrei-romani. Pareva che la storia triste del Ghetto potesse trovare il suo riscatto con la demolizione materiale delle vecchie strutture fatiscenti (fu una delle operazioni demolitorie più radicali e sollecite che si avvalse della debole tutela degli interessi degli abitanti del Ghetto: un sentore di speculazione finanziaria accompagnò infatti l'operazione). Ma la storia non era ancora conclusa. Non lo era, sotto l'aspetto della sopravvivenza di una centrale di vita ebraica (visto che questa perdurò nella zona contermine a quella del Ghetto sparito, per la spontanea scelta di un nucleo più povero e più tradizionalista di Ebrei che rimase a presidiare i luoghi degli antenati). Ma non era finita neppure come storia della strisciante persecuzione, considerato quello che successe negli anni Quaranta del nostro secolo, quando la politica italiana scimmiottò le tetre pretese tedesche deliranti di razza pura. I Romani assistettero perplessi a quel riaffacciarsi di vecchie condizioni di separazione, di una invisibile ma pur vera muraglia di Ghetto che tornò a rinserrare moralmente ogni Ebreo, imponendo assurde scelte e provocando talvolta liberatorie falsificazioni. Ma l'aggressione nazista al Ghetto nel 1943 fu il fatto che risvegliò pienamente la solidarietà dei Romani con i perseguitati. Contro qualche complice dell'occupante furono tanti, dal Vaticano alle tante case religiose e ai privati, che offrirono copertura e sollievo ai ricercati. In quei mesi dell'occupazione di Roma si tessé una rete di solidarietà quale non si era mai conosciuta nei secoli della lacerazione di cui il muro del Ghetto era stato il simbolo visibile. Speriamo che questa crescita spirituale della città sia un'acquisizione permanente, un nuovo livello dello sviluppo cittadino: il Ghetto resti solamente come un'operazione di riscatto urbano da compiere nella solidarietà delle istituzioni cittadine e una memoria collettiva che interessi insieme Romani di radice cristiana e di discendenza ebraica.

Illustrazione del «Ghetto» di oggi[1]

Rione S. Angelo

Di limitata dimensione, e in parte occupato dal Ghetto degli Ebrei, esso si stende ai piedi del Campidoglio. Va dall'allineamento di via delle Botteghe Oscure-via Florida fino alla riva del Tevere e dalla direttrice di largo Arenula-via del Progresso alla linea di via del Teatro di Marcello (altezza di S. Nicola in Carcere), piazza Campitelli e piazza Margana.

È una zona della città cosparsa dei resti di classici monumenti e di evidenti tracce medievali che la infatuazione barocca non ha cancellato: è estremamente affascinante aggirarsi nelle vecchie straducole alla ricerca dei segni dei tempi andati e delle testimonianze di un'antica ed ancor suggestiva stagione della Roma delle anarchiche lotte baronali, sfociata in un breve periodo di orgoglio comunale. La grande ora di questo rione andò dal Duecento al Quattrocento, quando la città, per quanto economicamente stremata, parve fiorire di nuova vitalità civica, stringendosi attorno al colle capitolino e raccogliendo in questo rione il centro dei suoi commerci.

È significativo che questo fosse il baricentro della sincera, seppur velleitaria operazione guidata da Cola di Rienzo alla conquista del potere cittadino per una nuova classe popolare composta di commercianti e di gente dedita alle professioni (abbozzo di una borghesia). I papi, una volta rientrati a Roma da Avignone e dopo essersi assicurati l'autonomia all'ombra di Castel S. Angelo, condussero con costanza e fermezza, oltre che con ogni sorta di allettamenti, la

---

[1] Schede tratte da *Vedere e capire Roma*, manuale per la scoperta della città, di Armando Ravaglioli, Edizione di Roma Centro storico, 1994[4].

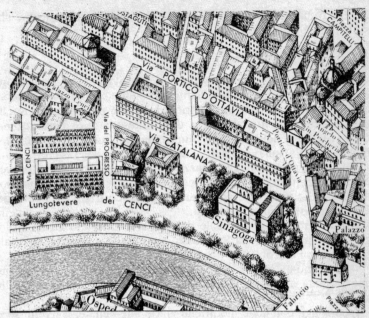

L'attuale zona detta «del Ghetto» in un particolare della «Pianta monumentale di Roma», di Ravaglioli-Piffero.

lunga e delicata operazione di attrarre verso il Vaticano il centro della vita cittadina, sottraendolo a questa zona. Di conseguenza la antica importanza del rione diminuì e si sfumò nell'atmosfera, che ancora in qualche modo perdura, di una operosità minuta e un poco appartata dai più determinanti e vivi centri cittadini.

Chiesa di S. Angelo in Pescheria

Detta nel passato «in foro piscium», la chiesa ebbe origine nel 770, quando Stefano II la inserì fra i resti del *portico d'Ottavia*, utilizzando i propilei del monumento come gigantesco pronao. La struttura è quattrocentesca, adattata e decorata da un intervento del 1610 a cura del cardinal Andrea Peretti.

La chiesa fu, nel Medioevo, al centro della più intensa vita cittadina; da qui – dopo lunghe preghiere – Cola di Rienzo mosse in armi e a testa scoperta verso il Campidoglio nel tentativo di ristabilire la Repubblica romana (notte di Pentecoste del 1347).

Sulla destra della chiesa si nota la facciatina a stucchi di quello che fu l'*oratorio dei pescivendoli* (del 1689).

Il vicoletto a sinistra porta ai piedi di una piccola torre del XIII secolo, con antichi frammenti marmorei incorporati.

Sull'esterno del portico, presso la cancellata, si trova la famosa scritta relativa al tributo dovuto dai pescivendoli ai Conservatori del

Popolo romano. Essa ha riscontro in un'altra dello stesso tenore che si trova in Campidoglio.

Palazzo Cenci Bolognetti

Sul «monte Cenci», cumulo di classiche rovine, si raggrupparono le case della omonima nobile famiglia, celebre soprattutto per la patetica sventura della bella Beatrice. La parte più antica prospetta sulla piazzetta, delimitata anche dalla chiesetta di *S. Tommaso dei Cenci* (definita, nel Medioevo, «in capite molarum», per i numerosi mulini che funzionavano nell'antistante braccio del Tevere).

La facciata posteriore del palazzo principale si apre con la barocca e curiosa inquadratura spagnolesca di una loggia, mentre un arco medievale lo collega al palazzetto Cenci, costruito all'inizio del Cinquecento su più antiche basi.

L'attuale ingresso principale del palazzo, divenuto Cenci Bolognetti, si apre in via del Progresso con un alto e sporgente portale che regge un balcone.

Nell'interno c'è una bella scala a chiocciola. Il palazzo mostra qui una facciata a gomito, il cui lato lungo occupa gran parte dello slargo.

Ancor oggi, con tante modifiche viarie intervenute, il livello stradale digrada verso la via di S. Bartolomeo dei Vaccinari, che ricorda la omonima e sparita chiesetta dei conciatori di pelli, distrutta nel corso dei lavori di bonifica del rione. Una lapide ravviva la memoria della casa natale di Cola di Rienzo, che si trovava nella vicina ed anch'essa scomparsa via della Fiumara.

Via del Portico d'Ottavia

La via di questo nome corre al margine del grandissimo portico quadrato che Augusto ricostruì in memoria della sorella Ottavia, dal 33 al 23 a.C., sul *portico di Q. Metello Macedonico* e che conteneva all'interno due templi, mentre nel portico stesso erano le biblioteche latina e greca ed opere d'arte numerose. Salvo pochi altri resti, decifrabili unicamente dagli archeologi (e gli avanzi che si ritengono assai numerosi nelle cantine della zona dove si dice sia ancora possibile reperire antichi marmi), restano soltanto i propilei davanti alla *chiesa di S. Angelo*.

Nel Medioevo questa fu zona di commerci e di grande affluenza, mentre la pescheria, impiantatasi nel settore corrispondente alle colonne ancora allineate con i propilei, rimase in funzione fino al 1880.

Adesso resta in vista intatto un lato di alti palazzi della vecchia strada, con caratteri medievali e rinascimentali meritevoli di maggiore manutenzione. Fra essi si evidenzia la *casa di Lorenzo Manilio*, data 1497 e adorna di importanti frammenti marmorei e di scritte in latino e greco (elevata espressione di profondo spirito umanistico).

A partire dall'allineamento di queste case, fra i vicoli di S. Ambrogio e della Reginella, sorgeva il *portico di Filippo*, parallelo a quello di Ottavia, eretto nel 29 a.C. da Filippo, suocero di Augusto, anch'esso ricchissimo di marmi ed opere d'arte e contenente un tempio.

Sul fianco della casa di Lorenzo Manilio si trova, in pessime condizioni, una piccola costruzione rotonda a colonne, che fu il *tempietto del Carmelo* (del 1759), uno dei luoghi adibiti alle prediche coatte (la ristrettezza del locale e della strada lascia intendere che la coercizione non doveva poi essere troppo severa e comportante una partecipazione totalitaria).

Comunque le prediche erano organizzate per i Giudei in quattro o cinque periodi dell'anno, in alcune delle chiese più vicine al Ghetto, da S. Gregorio della Divina Pietà a S. Angelo in Pescheria, dal tempietto del Carmelo alla chiesa del Pianto. Era possibile sottrarsi all'obbligo pagando una multa; ma i più preferivano risparmiarsela imbottendosi piuttosto di cera gli orecchi. A chi si addormentava poteva capitare di ricevere una nerbata da uno svizzero in servizio di sorveglianza.

Sinagoga

La imponente costruzione che, con la conclamata ispirazione ad uno stile babilonese e soprattutto con la cupola quadrata, introduce un elemento dissonante nella architettura romana e nel profilo panoramico della città, venne costruita dal 1897 al 1904. È opera degli architetti Osvaldo Armanni e Costa; la decorazione è dei pittori Bruschi e Brugnoli.

Essa sostituì il vecchio Tempio Israelitico incendiatosi nel 1893, che raccoglieva in un unico edificio le varie Scòle (*Scòla Siciliana*, *Scòla Castigliana*, *Scòla Nova* e, più rimarchevole dal punto di vista architettonico e decorativo, la *Scòla Catalana*. Questa era stata costruita da Girolamo Rainaldi nel 1628 ed era ricca di marmi; i suoi seggi marmorei sono stati trasferiti nella attuale Sinagoga).

Sul muro verso il lungotevere grandi lapidi ricordano il martirologio degli Ebrei romani nei campi nazisti e alle Fosse Ardeatine.

Via del Progresso

La via, che fu già il vicolo Cenci ed ha assunto dimensioni da piazza, sta sul margine dell'antica zona del Ghetto e ricorda con il nome l'ideale non del tutto retorico al quale si ispirò l'operazione di distruzione del così detto *serraglio degli Ebrei*.

La parte dello slargo in cui sbocca la via del Portico d'Ottavia cor-

Piazza Giudea fuori del Ghetto in un'incisione di G. Vasi (XVIII secolo).

risponde alla vecchia *piazza Giudea*, nella quale si apriva una delle porte di accesso alla zona segregata.

In essa sorgeva quella stessa fontana che oggi vediamo, e che è tornata più o meno al suo posto nel 1930, dopo essere stata demolita all'epoca dei lavori di trasformazione della zona ed aver passato un lungo periodo nei magazzini comunali e, successivamente, pochi anni di fronte alla chiesa di S. Onofrio al Gianicolo: lassù, in seguito, venne sostituita da una copia. È una delle tante fontane disegnate per i Conservatori del Popolo Romano da Giacomo Della Porta (1591).

Chiesa di S. Maria del Pianto

Venne eretta nel 1612 sul luogo di una più antica chiesa (*S. Salvatore de' Cacabariis*, dal nome dei fabbricanti di paioli – cacabi – che vi si riunivano) e venne destinata a conservare ed onorare un'immagine della Vergine proveniente dal portico d'Ottavia, che era stata vista piangere in seguito ad una rissa mortale (1546).

L'architetto fu Nicola Sebregondi; l'interno è a croce greca. La facciata non venne mai eretta e dall'informe edificio emerge solamente un non consueto tiburio di una certa imponenza che, tuttavia, non ha nessuna corrispondenza interna.

Può essere interessante ricordare come Gregorovius ritenesse significativo che l'idea del pianto fosse evocata proprio sul limitare del Ghetto, luogo di grande mortificazione umana e di sofferenze collettive: «Va ricordata una tipica usanza romana che affondava le proprie radici nel tempo della Controriforma e che aveva come ambiente la chiesa di S. Maria del Pianto: la disputa della "dottrinella del Bellarmino", cioè una gara di catechismo fra ragazzi delle diverse parrocchie. Essa si concludeva con la proclamazione di un "imperatore della dottrina cristiana". Il ragazzo così insignito veniva portato in trionfo in Vaticano dove poteva chiedere una grazia al papa. In genere, bene ammaestrati dai parenti, i ragazzi chiedevano: "pane e vino per tutta la vita", ciò che significava ottenere garanzia che, a tempo debito, avrebbero avuto un pubblico impiego».

Le strade circostanti sono di un estremo interesse ambientale. Attira soprattutto un'ammirata attenzione il tozzo e grandioso *arco romano* emergente dalle murature della via di S. Maria dei Calderari; lo si era voluto identificare con un fornice della cosiddetta *Crypta Balbi*, un portico che doveva trovarsi dietro l'omonimo teatro e che ora è stato invece localizzato nella zona di via delle Botteghe Oscure. Al contrario, sembra che appartenga ad un edificio della età dei Flavi, noto nel Rinascimento come *craticula*.

Il nome della strada ricorda una scomparsa *chiesetta di S. Maria dei Calderari*, anche essa centro delle devozioni dei fabbricanti di caldaie e paioli che lavoravano nei residui anfratti del suddetto monumentale edificio.

Di fronte al fornice romano si apre un pittoresco passaggio, detto *arco dei Cenci*, che conduce alla piazzetta omonima, passando sotto un cavalcavia che collega il palazzo principale dei Cenci al palazzetto dallo stesso nome.

Chiesa di S. Gregorio della Divina Pietà

Il nome deriva dall'essere sorta, secondo una tradizione (che si scontra, come spesso capita, con un'altra che le vuole in Trastevere), sulle case degli Anici, dove sarebbe nato san Gregorio Magno, appartenente alla grande famiglia che diede imperatori ed esponenti del paganesimo, allo stesso modo che grandi campioni del Cristianesimo (secondo una tradizione non bene accertata, vi avrebbe appartenuto anche san Benedetto). L'aspetto attuale è del 1729, quando Benedetto XIII, fattala restaurare, l'assegnò alla congregazione degli Operai della Divina Pietà, che assisteva nobili e benestanti decaduti. Poiché la chiesa si trovava ad un'entrata del Ghetto, veniva utilizzata per prediche forzate agli Ebrei, in certi periodi dell'anno; a ciò si riferisce la scritta biblica della facciata, in latino e in ebraico.

Il vecchio Ghetto degli Ebrei

La parola *Ghetto* viene da Venezia e forse deriva dal luogo di concentrazione degli Ebrei presso la fonderia (o «getto») dell'isola della Giudecca.

In Roma, come altrove, gli Ebrei avevano vissuto sempre in una comunità riunita in ambito ristretto (nell'antichità risiedevano nel Trastevere); in questa zona del rione S. Angelo, presso l'isola Tiberina, fervida allora di attività mercantili, si erano raccolti nel XII e XIII secolo.

La definitiva fissazione di un luogo determinato ed esclusivo per la residenza degli Ebrei e per lo svolgimento delle poche e modeste attività che loro venivano consentite venne determinata da una bolla di Paolo IV Carafa del 12 luglio 1555, che prescriveva la erezione di un muro e uno scambio di popolazione (nella zona indicata gli Ebrei erano solamente i quattro quinti degli abitanti e dentro il muro rimasero varie chiesette, in seguito demolite, e un palazzo dei Boccapaduli). La crudele misura di *apartheid* pretese di salvaguardare, in epoca di Controriforma, la purezza dell'ideologia cristiana.

Quello che venne detto «serraglio degli Ebrei», venne delimitato da un muro con tre porte e aveva per lati maggiori il Tevere e l'attuale via del Portico d'Ottavia, mentre uno dei lati minori attraversava la piazza Giudea e l'altro raggiungeva dal fiume la chiesa di S. Angelo in Pescheria.

Sisto V fece ampliare il Ghetto dalla parte del fiume, sicché esso raggiunse una superficie di tre ettari, occupando un rettangolo irregolare lungo 270 metri sulla sponda del Tevere e un massimo di 180 metri dal ponte Quattro Capi alla Pescheria. Alla metà del Seicento vi si contavano circa 6000 Ebrei.

Fra le più note strade del vecchio Ghetto si ricordano le vie della Rua, della Fiumara e delle Azzimelle, oltre alla piazza di Mercatello e delle Scòle. In quest'ultima Paolo V aveva fatto collocare una fontana nella quale all'araldico motivo del drago borghesiano si univa il candelabro a sette bracci.

Gli Ebrei stavano ristretti all'interno, in condizioni di sovraffollamento antigienico. Di esse può dare un'idea la attuale *via della Reginella*, che sbocca in *via del Portico d'Ottavia* e che rimase a lungo all'esterno del Ghetto vero e proprio; fino al 1825, quando Leone XII concesse di allargare il vecchio recinto, includendovi la via della Reginella e parte della via di Pescheria, portando ad otto i portoni di accesso. Gli Ebrei erano costretti a limitati mestieri (stracciaroli, esercizio della usura, commercio minimo). Il Ghetto si aprì una prima volta nel 1799 (repubblica giacobina) e, poi, nel 1848 (le sue mura vennero definitivamente smantellate la notte del 17 aprile di quell'anno).

Dopo il 1870 ebbe sapore di simbolo la sua distruzione, che venne attuata a partire dal 1888, prendendo pretesto dal colera di due anni prima.

La ricostruzione effettuata nella zona è stata banale, e non ha tenuto conto del particolare ambiente. Tutt'al più si può apprezzare qualche esempio decorativo di stile «liberty».

Comunque la popolazione israelita di Roma ha conservato uno

straordinario attaccamento alle zone contermini al vecchio quartiere, sicché a queste, nel linguaggio comune, si è impropriamente trasferito il nome di Ghetto, che è oggi un ambiente animatissimo e pieno di commerci. Va ricordato che, nella zona, esistono numerosi e piccoli ristoranti caratteristici, specializzati in particolarità gastronomiche «alla giudìa».

Qui, a partire dalla via del Portico d'Ottavia, si svolse, il 16 ottobre 1943, il sistematico rastrellamento tedesco che avviò 2091 Ebrei romani ai campi di sterminio.

Il Ghetto scomparso nei vecchi autori

Massimo d'Azeglio:

«Che cosa sia il Ghetto di Roma, lo sanno i Romani e coloro che l'hanno veduto. Ma chi non l'ha visitato sappia che presso il ponte a Quattro Capi s'estende lungo il Tevere un quartiere, o piuttosto un ammasso informe di case e tuguri mal tenuti, peggio riparati e mezzo cadenti (ché ai padroni, per la tenuità delle pigioni che non possono soffrir variazioni in virtù del *jus gazagà*, non mette conto spendervi se non il pretto indispensabile), nei quali si stipa una popolazione di 3900 persone, dove invece ne potrebbe capire una metà malvolentieri. Le strade strette, immonde, la mancanza d'aria, il sudiciume che è conseguenza inevitabile dell'agglomerazione sforzata di troppa popolazione quasi tutta miserabile, rende quel soggiorno triste, puzzolente e malsano. Famiglie di que' disgraziati vivono, e più d'una per locale, ammucchiate senza distinzione di sessi, d'età, di condizioni, di salute, a ogni piano, nelle soffitte e perfino nelle buche sotterranee, che in più felici abitazioni servono di cantine. Questa non è la descrizione del Ghetto, né d'un millesimo delle dolorose condizioni che, nel silenzio e nell'abbandono d'una miseria ignorata, si verificano fra le sue mura; ma vi è appena un cenno: ché a farne una giusta relazione troppo ci vorrebbe».

Il francese *Edmond About* nel 1855:

«[A Roma] vi è troppo permesso di lordare nelle strade, e v'è troppo poco cura di spazzarle...; ma questi sono gigli e rose, quando si ritorna nel Ghetto. Nella città cristiana la pioggia lava le strade, il sole dissecca le immondizie, il vento porta via la polvere, ma non vi è né pioggia, né vento, né sole che possa nettare il Ghetto; abbisognerebbe per purificarlo un'inondazione o un incendio.

...Al Ghetto i ragazzi nascono come funghi ed ogni famiglia compone una tribù. Se devesi credere all'ultimo censimento, v'erano 4196 Ebrei in questa valle di fango. Vivono nella strada in piedi, seduti, coricati in mezzo ai cenci: bisogna ben guardare dinanzi a sé per non commettere un infanticidio ad ogni passo. Il tipo è brutto, il colorito livido, la fisionomia degradata dalla miseria. Eppure questi disgraziati sono intelligenti, atti agli affari, rassegnati, facili a vivere e di costumi irreprensibili».

L'uomo politico spagnolo *Emilio Castelar*:

«La città eterna è una città sudicia... E tuttavia, in una città simile, fa ribrezzo per la sua immondezza il quartiere degli Ebrei; i piedi s'immergono in un molle strato di escrementi che paiono letti di porco e di ippopotamo: fanciulli mezzo ignudi, divorati da croste che rassomigliano a croste di lebbra cancrenosa, guizzano da tutte le parti; alcune vecchie dalla pelle rugosa e giallastra, con capelli bianchi, occhi vitrei, d'aspetto macilento, dal sorriso sinistro, stanno a guardia delle porte delle case che paiono vere topaie; e ciascuno di questi antri manda un fetore insopportabile... Nel Ghetto dovete star contenti a guardare le sudicie pietre, le immonde viuzze, le orride tane, i gialli e miserabili loro abitanti, i cenci che pendono dalle finestre e l'atmosfera impregnata di vapori pestilenziali che involgono quell'inferno».

E infine una efficacissima relazione di *Ferdinando Gregorovius* sulla sua visita al Ghetto romano nel 1853:

«Quando io ho visitato il Ghetto per la prima volta, il Tevere era straripato da poco, e i suoi flutti gialli correvano per la Fiumara, la strada più bassa del Ghetto. Le fondazioni delle case trattenevano la corrente come una banchina, e l'acqua copriva i locali sotterranei delle case site più sotto. Che spettacolo malinconico il vedere il quartiere ebraico sommerso dai torbidi flutti del Tevere!

...Entriamo ora in una delle strade del Ghetto e troveremo Israello davanti alle sue catapecchie in pieno lavoro. Gli Ebrei siedono sulle porte o fuori, nei vicoli, dove vi è appena un po' di luce di quella che penetra nelle stanze umide e affumicate. E dividono stracci, e cuciono. Non è descrivibile il caos di stracci e di cenci che si accumula colà. Sembra come se tutto il mondo ridotto in frantumi ed in stracci giacesse ai piedi degli Ebrei. Stanno accatastati davanti alle porte, di ogni foggia e di ogni colore: frangie dorate, frammenti di broccati di seta e di velluti, pezzi di stoffa rossa, azzurra, turchina, gialla, nera, bianca, vecchi, laceri, macchiati. Non ho veduto mai un simile vecchiume. Gli Ebrei potrebbero mascherare da Arlecchino tutto il creato. Essi ora siedono là, immersi in quel mare di stracci, come se cercassero dei tesori, o almeno qualche frammento di broccato in oro.

...E le figlie di Sion siedono ora tra questi pezzi di stoffa e cuciono ciò che è cucibile. Grande è la loro abilità nell'arte del cucire, del rammendare, e non c'è nessuna lacerazione, nessuno strappo in qualsiasi tipo di stoffa che queste moderne Aracni non sappiamo rendere invisibili. Tutto questo commercio si pratica specialmente nella Fiumara, nella parte cioè più vicina al Tevere, e nei vicoli laterali... Ne ho veduti molti dall'aspetto sofferente, pallido, cucire con i loro aghi, uomini, donne, ragazzi e fanciulle. La miseria traspare da quelle chiome incolte, da quei visi bruni, e nessuna bellezza ricorda Rachele, Lea o Miriam; solo di tratto in tratto uno sguardo nero, profondo, rilucente, si solleva dall'ago e dagli stracci...».

Ben altro il riferimento al Ghetto nella prosa di uno scrittore del tempo fascista (anche se ancora degli anni che non avevano conosciuto l'imposizione di una politica della razza). *Federico Mastrigli* – nel contesto del volume *Roma nei suoi Rioni* del 1936, edizione Fratelli Palombi – così scrive, con evidente insofferenza delle miserie del passato, parzialmente perduranti:

«...non torneremo ad aggirarci nei piccoli antri fumosi delle antiche bottegole, nei meandri del Ghetto, e non spargeremo insincere lagrime sui distrutti mignani, sulle viscide pietre della Pescheria Vecchia, sui quadretti che di questo ambiente, miserevolmente statico fino all'Ottocento, ci ha lasciato l'acquerellista romano Roesler Franz, anche se dobbiamo essere grati alla meticolosa diligenza documentaria dell'artista.

È tempo di fare la definitiva liquidazione delle nostalgie, dei rimpianti e dei languori, degli sdilinquimenti per l'equivoco, per l'insidioso "pittoresco". E poiché noi siamo qui proprio nel centro di quel tale "pittoresco" di cui si è tanto usato e abusato nella compilazione delle vecchie guide, nella composizione dei vecchi quadri di ambiente romano, è bene che ci intendiamo una volta per tutte sul significato e sul valore di questa parola.

Il "pittoresco" era, in origine, un modesto aggettivo, che è stato sostantivizzato nell'uso, allo scopo di farne una specie di istituzione introdotta nell'armamentario complesso del popolaresco e dell'industria turistica: per divertire, per interessare, per impressionare i visitatori, con la esibizione di stridenti contrasti tra la fastosa grandezza del passato e l'abietta miseria del presente. Era quindi necessario a questa superata mentalità dei vecchi paesisti, di conservare intorno ai monumenti più significativi e solenni la lebbra ignominiosa degli screpolati abituri, dei vicoli luridi, dei turpi mestieri. Gli stracci pittoreschi sono stati una maledizione che ci ha perseguitato fino a non molti anni fa, e che ebbe – si può dire – fino a ieri i suoi feticisti, i suoi strenui sostenitori: il fascismo ce ne ha liberati! Qui dove scintillarono i marmi riccamente scolpiti, i levigati bronzi, gli ori e le gemme del fastoso patriziato romano, dove passarono caracollando i guerrieri chiusi nelle forbite armature, i cortei e le gaie brigate, qui, dove risuonò il passo dei legionari vittoriosi, dove sventolarono le insegne dei divinizzati imperatori, non ci sono più cenci, miserie, rifiuti, ma vive e lavora una città nuova, moderna, fervida, che non ha più nulla da invidiare all'antica.

Un inatteso cortile rinascimentale al quale si giunge dalla via della Pescheria in un'incisione di D. Lancelot (da F. Wey, Rome, descriptions et souvenirs, *Paris, Hachette, 1873).*

Dalla riva sinistra del Tevere, sulla quale si affacciavano a picco sulla corrente le casupole demolite per la costruzione dei muraglioni, a traverso la soppressa via della Fiumara, sopravviveva ancora – nel dedalo soffocante delle viuzze e delle piazzette – la toponomastica elencata dal Bernardini e quella di cui ci ha lasciato il ricordo nei suoi acquerelli il Roesler Franz: la via della Scuola Catalana, il caratteristico vicolo Capocciuto, il vicolo del Pancotto, e i grovigli e gli angiporti e il luridume maleolente della Pescheria Vecchia, con le "pietre" allineate sui due lati della strada che si chiamava appunto di Pescheria, e che è oggi la bella e larga via del Portico d'Ottavia.

Tutte le casupole che si ammonticchiavano tra la riva del fiume e la odierna via del Portico d'Ottavia sono cadute sotto il piccone, e sulla liberata superficie è stato aperto prima di tutto il Lungotevere Cenci, costeggiato da magnifiche, moderne costruzioni, allineate con la nuova Sinagoga: e più oltre, all'altezza dell'antica via Rua, corre l'ampia via Catalana: alla congiunzione fra queste due larghe arterie moderne quasi parallele con il Lungotevere, provvedono le vie del Progresso e del Tempio, allietata quest'ultima dal verde di qualche aiuola. Lungo la stessa linea, la valorizzazione delle case borghesi del Rinascimento rimaste intatte lungo la via del Portico d'Ottavia, la grandiosa e modernissima scuola elementare "Felice Venezian", hanno completamente trasformato questa parte del rione, in cui sarebbe difficile ritrovare le tracce dello scomparso Ghetto.

Fra la via del Portico d'Ottavia e la via dei Funari, la nomenclatura stradale – e in certi punti anche l'aspetto delle strade – non hanno subìto notevoli modificazioni: mentre l'allargamento e la rettifica così felicemente iniziata della importantissima via delle Botteghe Oscure, ha creato al rione un'ampia, superba cornice: poiché da questa grande arteria, efficacemente sussidiaria al Corso Vittorio Emanuele, per la via Arenula e per il Lungotevere Cenci, l'operoso e intenso traffico dell'Urbe si aggira liberamente intorno a Sant'Angelo in Pescheria, e altrettanto liberamente lo attraversa, per le nuove strade che sono state aperte.

Lungo questi itinerari i "coloristi" di un tempo, i ricercatori del deprecato "pittoresco", non troveranno più i luridi cenci, le lunghe file appese di scarpe consunte, di vestiti scoloriti e a sbrendoli, i cumuli di rottami senza forma e senza nome, di ferro o di rame, le stoviglie usate, le maioliche sbocconcellate, il brulicame dei cenciaiuoli intenti a fare la cernita delle cose ancora riutilizzabili, in mezzo ai mille rifiuti della metropoli; né i frati questuanti, né i bimbi laceri e sparuti, che diguazzavano come anitròccoli nei ruscelli fangosi delle strade... Tutto questo vieto ciarpame, di cui le giovanissime generazioni non hanno né la conoscenza, né il ricordo, è scomparso, relegato nei musei, nelle mostre retrospettive, nelle cornici degli albums di fotografie evanescenti. E non ne sentiamo proprio nessun rimpianto».

Avventura nel Ghetto

Pubblichiamo di seguito alcune colorite pagine descrittive dell'ambiente che ancor esisteva poco più di un secolo addietro. Si tratta di una curiosa esperienza, frutto in gran parte di prevenzione ed incomprensione, che riguarda due giovani donne parigine in giro nel Ghetto di Roma per curiosità, poco prima del 1870. La loro eleganza, forse troppo accentuata per un luogo di miseria, e una certa spocchia apparente hanno provocato un piccolo fatto di cronaca che rivela, da una parte, fierezza ed esclusivismo e, dall'altra, una incapacità di comprendere da parte dei forestieri peraltro largamente estesa a tutti gli aspetti della vita popolare di Roma in generale. Comunque ci sembra che poche descrizioni dell'antico Ghetto romano raggiungano l'evidenza di questa narrazione[1].

«Girando l'angolo del portico d'Ottavia e dopo essere passati sotto una bassa arcata, si sbuca all'improvviso all'inizio di una strada lunga e stretta le cui case nere, di altezza disuguale, sono rese ancor più scure dai tetti sporgenti e dagli stenditoi sistemati, come a Smirne, a cavallo della strada: cordicelle da cui ciondolano stracci variopinti. Queste abitazioni offrono un campionario di tutte le epoche e di tutte le destinazioni. La maggior parte di esse sono state, nel tempo, conventi, palazzi, oratori, edifici commerciali adibiti ad usi diversi; infine eccole ridotte a stamberghe, rifugio di miserabili. Ciascuno vi ha sistemato le pareti secondo le proprie necessità, e la qualità del cemento è tale che un pezzo di muro, aperto, richiuso e scavato dieci volte in una dozzina di secoli, è rimasto solido come una roccia senza che vi sia mai stato bisogno di puntellarlo. Ne risulta che guardando queste strette facciate eterogenee e scombinate si può riconoscere su ciascuna di esse – come su di una pergamena mal raschiata su cui si siano succeduti diversi testi – quali fossero la pianta e l'adattamento delle precedenti abitazioni. La piccola muratura romana, resto di un "sacellum" del basso Impero, forma delle estrose goffrature assieme agli stretti mattoni del XIII secolo e agli spessi strati di travertino del XV. Si potranno riconoscere, nei vari piani, delle ampie finestre rotonde tappate e rimpiazzate da graziose finestre a colonnette, in seguito a loro volta eliminate. Vaste arcate che decorano con i loro festoni un muro squarciato da una finestra ci ricorderanno gli antichi portici; una mensola collocata in alto, un bassorilievo sbrecciato, un fusto di sienite o di granito africano che spunta da questi mosaici di muratura riveleranno un mistero di grandiosità svanita. Marmi sporchi di fuliggine si mescolano alle malte di argilla e paglia di queste costruzioni; lanciando occhiate

---

[1] Da: Francis Wey, *Rome, descriptions et souvenirs*, Paris, Hachette, 1873.

furtive in fondo alle strade, si scoprono, in mezzo alla sporcizia di un cortile cieco, colonnati imprigionati e ruderi cadenti di qualche palazzo, come quelli del "Governo vecchio", i cui portici sono parzialmente nascosti tra le bottegucce della Pescheria. A Roma, per costruire non si è mai demolito completamente: poiché le costruzioni si sono accumulate nel tempo le une sulle altre come degli alveoli, ne consegue che i vecchi quartieri ceduti al popolino rievocano il rango e raccontano la vita delle caste che, di secolo in secolo, vi hanno vissuto. Le porte stesse sono state risagomate e riadattate; serrature meravigliose, cancelli antichi e complicati possono chiudere delle cloache, un sarcofago servire da truogolo, un cippo da basamento; le acque nere possono avere come canale tombe dell'epoca di Gregorio VII. L'edicola più insignificante può pertanto rappresentare un cimelio carico di storia; ma bisogna stare attenti perché spesso, a forza di passare di mano in mano, il testo di questo documento si è cancellato.

Su ciascun lato di una curiosa strada sono posate delle larghe lastre di marmo bianco leggermente inclinate come pietre sepolcrali che, formando una doppia fila ai piedi delle case, assumono al crepuscolo, quando la strada è deserta, un aspetto lugubre: sembra che le tombe degli avi siano allineate davanti alle porte. Questi blocchi di marmo di Carrara o di cipollino, presi dai templi degli dei o dai palazzi imperiali, servono come banchi per i venditori di pesce. Quando su di essi si tranciano pesci spada color bronzo, anguille marine, orate dal fiele bluastro, il loro sangue si mescola, in venature viola e rosate con fili di carminio, al biancore tenero del marmo dando vita a *bouquets* di colori che farebbero la gioia di un emulo di Van Ostade. Quando questo quartiere – nel quale, secondo quanto testimoniano Plinio e Pausania, era stato raccolto un gran numero di statue greche – fu incendiato sotto il regno di Tito, il fuoco distrusse il "Cupido" di Prassitele: tale perdita irreparabile fu riportata da Dione Cassio. Proprio scavando in fondo a questa viuzza, nel XVII secolo, fu esumata la "Venere dei Medici" all'ingresso del rione degli Ebrei, i quali, con incredibile trascuratezza, non hanno mai pensato a grattare la terra feconda di cui calpestano i tesori.

Dopo la rivoluzione del 1848, il Ghetto è stato aperto. Ma quando gli amici dell'uguaglianza dei culti hanno fatto cadere le catene che, la notte, chiudevano il quartiere ebraico, gli abitanti di questo, elevati alla dignità civica dei Cristiani, hanno reclamato energicamente contro tale concessione. Il regime comune che ci si degnava di applicare loro e che li associava alle imposte e alle spese della città, era in effetti più rigoroso del regime eccezionale sotto il quale vivevano dal secolo precedente. Questo crocevia è talmente privo di qualsiasi sorveglianza, queste razze proletarie incrociate di zingari, di "moriscos" e di tutte le dinastie confuse di "bohémiens" – tribù la cui denominazione generica è divenuta compromettente per la setta giudaica – sono a tal punto padrone a casa loro, che non è sempre prudente – specialmente per delle signore eleganti – avventurarsi da sole nel Ghetto senza altro motivo che la curiosità, e ciò soprattutto la domenica, giorno in cui i bottegai di questo caravanserraglio sfruttano i campagnoli che non hanno altro giorno da perdere per venire ad approvvigionarsi in città. Si può osservare che a tale riguardo il governo pontificio supera in tolleranza la repubblica Svizzera e la libera Inghilterra dove anche le materie religiose sono regolamentate dall'autorità civile. Roma permette agli Israeliti di aprire i negozi di domenica e non impedisce ai Cristiani di venire a fare le loro compere al Ghetto in quel giorno né di andare a piazza Montanara ad acquistare mozziconi di sigaro a peso o a farsi radere alla svelta dai barbieri all'aria aperta, dove si attende il proprio turno con pazienza raccogliendo dalle labbra dell'inesauribile Figaro le notizie del quartiere e dei due emisferi. Farsi tagliare la barba è per i Romani la sola ambizione in fatto di toilette su cui non abbia trionfato la loro noncuranza: così Ticinius Mena che, l'anno di Roma 454, portò dalla Sicilia i primi barbieri che la città avesse visto, ha inaugurato la più durevole delle mode. Varrone ci insegna che nessuno, prima di Scipione l'Emiliano, si faceva radere tutti i giorni. Prima, tutti portavano la barba e i vecchi devono aver conservato a lungo questo costume se i contemporanei di Silla, ricordati da Aulo Gellio, si sorprendevano che il busto di Scipione l'Africano lo riproducesse senza barba in un'epoca in cui aveva superato la quarantina. Ottavio Augusto è il primo gran signore che si sia rasato da solo: i più umili sudditi di Pio IX sono meno progrediti. Ma torniamo al Ghetto.

Una mattina, mentre costeggio la piazza dei Cenci per raggiungere la riva del Tevere, sento dei clamori alla mia sinistra e, subito dopo, una signora sbucata di corsa dal Ghetto si getta intorno un'occhiata sgomenta e, pallida per lo spavento, corre a mettersi sotto la mia protezione; la segue da presso una cameriera, ancor più emozionata. Offro il braccio alla signora e scorgo nel frattempo alcune streghe che ripiegano mugugnando nella viuzza, mentre la donna mi trascina lontano dall'incrocio. Si scusa per il suo gesto, riuscendo appena a respirare; le espressioni le escono a brandelli. Si trattava, come per la maggior parte delle donne intelligenti della nostra società francese, di una "parigina"... fiorita in provincia. Avida di sensazioni, non poteva soffrire le guide locali, quei ciceroni che illustrano una città come fosse un serraglio, e, per esplorare il Ghetto, era venuta a perdervisi in compagnia di una cameriera. Nella principale arteria del quartiere ebraico ognuno vive davanti alla propria porta: le bottegucce ribassate a bocca di forno, le porte anguste, le entrate di queste caverne zeppe di ciarpame sono affollate di donne, di bambini, di vecchi accovacciati sulle soglie o appoggiati sui gomiti ai davanzali. La folla vivace e lacera si piazza davanti alla preda sperdutasi in questo luogo grazie alla bontà del dio di Giacobbe e, data la concorrenza, fa a gara per accaparrarsi un avventore e portarselo a casa. Madame S*** aveva appena fatto dieci passi che tre o quattro comari la circondano vantando la loro mercanzia: vecchie stoffe, pizzi, merletti di Venezia, gioielli moreschi. Non è raro trovare i più ricchi lampassi di Cina o delle Indie dentro infetti tuguri sporchi di stracci e di immondizie. Le due donne ascoltavano sorridendo, continuando la loro strada; ma un giovane contadino che, avvolto in un mantello e con il cappello calcato fino agli occhi, le aveva osservate mentre contemplavano il palazzo Bolognetti e le aveva seguite da lontano, si era improvvisamente avvicinato e, in un gergo che Madame S*** non aveva potuto afferrare, aveva gettato a mezza voce alle comari, in tono ironico e cupo, qualche parola dall'effetto terribile. Quale superstizione, quale aspro sentimento aveva suscitato? Fatto sta che, da ossequiose e supplichevoli, le donne si erano tutto a un tratto tramutate in furie: sbarrano il passo, urlano, ingiuriano e minacciano, attirano una legione di altre donne cenciose; a queste voci chiocce si mescolano grida acute di bambini; da ogni bottega escono creature infuriate e, più le forestiere procedono, più si gonfia l'onda umana ammassata contro di loro. Il discordante concerto si ricrea incessantemente davanti ai passi delle due signore, per poi continuare al loro fianco; si urla dalle finestre fino ai tetti: lo sciame si esaspera con il suo stesso furore.

È una razza singolare, questa nidiata di antichi Ebrei romani: di colorito giallognolo o abbronzato dorato dalla bile per la mancanza di sole, cinica e degradata e pur sempre energica, abbrutita, ma con i tratti infiammati dalle secolari cicatrici dell'odio. Nelle vecchie – che sembrano numerose poiché qui il tempo segna molto presto le donne – tali caratteristiche risultano paurose. Quando i capelli crespi di queste streghe venute, a cavallo di una scopa, dall'Arabia sono passati dall'ebano o dal vermiglio al biondo rossiccio e scolorito dell'età matura, quando il vento sparpaglia queste chiome sparute sulle tempie scarne, quando si vedono luccicare, separate dai nasi aquilini, quelle pupille nere ardenti di febbre e agitarsi, convulsi per la rabbia e per le loro stesse grida, quei colli rugosi sui quali risalta una rete di arterie nerastre, quando si odono cento bocche sdentate gracidare un gergo gutturale, quando si scorgono quei polsi magri, e i muscoli contrarsi sotto una pelle floscia ed avvizzita, e i petti cadenti che confondono le loro pieghe con le grinze degli stracci e quei cenci pieni di vita che, ebbri di furia selvaggia, vi si premono addosso come sciacalli all'inseguimento, è ben permesso, specialmente a due povere donne, avere paura.

Madame S*** continuava per la sua strada all'apparenza molto calma, con la cameriera stretta contro di lei. Comprendeva che, se si fosse fermata o girata, o avesse cercato di parlare, se fosse fuggita o avesse accelerato il passo, se malauguratamente una di queste serpi avesse messo la mano su di lei o ella fosse stata raggiunta da un proiettile, avrebbe rischiato di esser fatta a pezzi. Ostentava quindi una dignità impassibile e percorreva questa lunga fossa dei leoni senza molta speranza di vederne la fine. Più in fondo, la strada si popolava di teste fameliche, ci si preparava a riceverla. A metà percorso, sulla destra, si presentò alfine una stradina senza porte né finestre; Madame S***, che vi si era precipitata, si imbatté in una famiglia di patriarchi: tre generazioni di gente di colore accovacciata in cerchio si nutrivano di qualche avanzo; al comparire della straniera, tutti si alzarono con aria feroce. Nel frattempo, sbucava la banda degli inseguitori. Sopraffatta dallo sgomento, la nostra compatriota scappa come una capretta; si lancia a caso in un'altra viuzza, seguita da presso dai più furiosi e sbuca infine sulla piazza dei Cenci. Là finisce il territorio di questa misera gente. Gli aggressori non si azzardano molto a sconfinare in terra cristiana. Era comparso un protettore: tutto tornò normale.

"Un quadro esagerato!" dirà qualche viaggiatore. Noi certifichiamo la scrupolosa esattezza dei fatti. – Ma, si obietterà: "non si commettono crimini nel Ghetto". – Che ne sapete? Chi potrebbe impedirlo? Dov'è la sorveglianza? Dove il controllo, se le procedure non sono note? Quali agenti invia la polizia nel territorio di una razza che vive secondo i privilegi dell'ostracismo, in fondo a quel dedalo di cui non si conoscono gli arcani? Tuttavia, risponderete, non si è mai sentito dire... – E chi l'avrebbe detto? In una certa epoca, il Duca di Toscana teneva a vantarsi di non nutrire, sulle sue terre, nemmeno un assassino, e pubblicava delle statistiche che costituivano l'onore del suo regno, la gloria dell'umanità, il testo delle declamazioni ammirative dei filosofi. Soltanto, quando aveva luogo un delitto, si faceva sparire sia il colpevole che la vittima...»

Un Ghetto da recuperare

Il proposito di recupero urbanistico della zona del Ghetto – al quale si cointeressano sia la Regione Lazio che il Comune di Roma – costituisce una buona occasione per richiamare l'attenzione sulla storia e sui significati spirituali di quella zona della città, peraltro distrutta nel secolo scorso. Il nome è passato al comprensorio attiguo, cui resta ormai confidato il ruolo di simbolizzare l'antico quartiere medievale. La sua rinascita costituirà anche una giusta rivalutazione dei significati della presenza ebraica in Roma.

L'ondata emotiva per il disastroso colera di Napoli del 1884 e la successiva legge per la valutazione degli edifici da espropriare in quella stessa città accelerarono le procedure per l'avvio della operazione di bonifica del Ghetto, che si stava trascinando già da parecchio tempo. Secondo il sistema varato fin dalle prime costruzioni sull'Esquilino, venne affidata l'operazione ad una società speculativa, la Banca Tiberina. Non si trattò di una operazione semplice, anche per la difficoltà di rialloggiare gli sfrattati in concomitanza

L'area del Ghetto durante i lavori di bonifica alla fine dell'Ottocento (particolare della «Veduta di Roma 1888» di H.E. Tidmarsh e H.W. Brewer, ripubblicata da A. Ravaglioli).

con le analoghe esigenze che venivano causate dalle demolizioni degli edifici prospettanti il corso del Tevere interessati alla costruzione dei muraglioni. In ogni caso l'iniziativa fu salutare dal punto di vista igienico, ma fu totalmente condannabile sotto il profilo del rispetto che si sarebbe dovuto portare ai ricordi insiti nella zona e alle non poche caratteristiche ambientali che avrebbero meritato di essere salvate. Era senza dubbio fra queste la piazza delle Cinque Scòle, con l'edificio del Tempio, nel quale avevano operato artisti insigni. Con ruvida aggressività si fece piazza pulita di tutti gli edifici del comprensorio e vi si costruirono informi palazzacci, sgraziati per foggia e per mole, privi di qualsiasi analogia con l'ambiente storico contermine. Non si apprestò un piano urbanistico che, in qualche modo, rievocasse una secolare struttura e la stessa imponente costruzione della Sinagoga venne eretta al margine del terreno disponibile, senza curarsi di farne il punto centrale della nuova sistemazione urbana.

La voce popolare ha giustamente punito il concetto puramente funzionale-speculativo della operazione estendendo il nome di Ghetto alla zona marginale del vecchio quartiere che al Ghetto era appartenuta solo in un periodo finale, ma che ne ripete i fondamentali caratteri urbani e ambientali. In quella stessa zona avvenne un vasto travaso di popolazione per il forte desiderio di molti Ebrei di restare vicini al luogo dove avevano così a lungo risieduto le generazioni dei padri e dove esse avevano sostenuto una millenaria lotta di resistenza in difesa della propria compattezza di popolo e della propria libertà di coscienza.

Recenti decisioni assunte dalla Regione Lazio in sede urbanistica hanno posto sul tavolo dell'attualità la questione del risanamento e del recupero ambientale ed edilizio proprio di questo pseudo-Ghetto, indubbiamente meritevole di una particolare attenzione per i tesori di costruzioni, di antichi monumenti e di memorie che conserva. Anticipando decisioni che ovviamente debbono essere assunte dal Consiglio Comunale di Roma, la Regione ha intanto finanziato la redazione di un progetto di risanamento che è stato offerto al Comune. L'iniziativa è encomiabile sia per lo specifico settore della città che prende di mira, sia sul piano generale perché predispone un materiale di indagine pratica, di analisi delle situazioni e di ipotesi di lavoro che potrà valere per l'intero centro storico.

È evidente infatti che, mentre ci si propone con l'impresa SDO di assicurare nuovi spazi e nuovo respiro alla città della direzionalità moderna, occorre tempestivamente prepararsi al risanamento e al recupero della città storica, scoprendole nuove destinazioni più consone al suo passato e alla sua natura. In modo particolare, si dovrà approfondire il tema della abitabilità dei vecchi quartieri, restituendo ad essi un grado di vivibilità che sia almeno pari al valore folcloristico della loro collocazione.

A questo scopo occorre pensare ad una nuova forma di vita – del resto molto aderente all'antica, precedente al secolo della motorizzazione dei trasporti – da svolgere negli antichi ambienti. Ogni sforzo dovrà essere compiuto per trovare una diversa forma di rapporto con l'automobile, non troppo punitiva per chi abbia il privilegio di abitare in centro, ma al tempo stesso capace di evitare la trasformazione delle strade in depositi di lamiere variopinte. Un piano di recupero nel centro storico dovrà essere pertanto, e prima di tutto, un progetto di condizionamento del traffico, con adeguate forme di pedonalizzazione, individuazione di sistemi di penetrazione dell'automobile in forma limitata e temporanea e infine individuazione di centri non difficilmente raggiungibili per il parcheggio delle vetture dei residenti. Affrontato e risolto questo determinante problema, il recupero zonale resterà problema di idoneo risanamento, di moderna abitabilità nel rispetto dei fondamentali caratteri architettonici e volumetrici, oltre che in una obiettiva valutazione dei costi e delle loro conseguenze in ordine alle possibilità di permanenza *in situ* delle fasce di popolazione economicamente meno provvedute. Tutti problemi da esaminare senza enfasi demagogiche, ma con la prevalente preoccupazione di assicurare la realizzabilità dell'operazione nell'interesse della rivitalizzazione della città antica. In questo caso, della rinascita di quell'insediamento ebraico da tanti secoli peculiare di una certa zona di Roma.

Il progetto è stato redatto da un gruppo di noti urbanisti – Sandro Benedetti, Marcello Vittorini, Federico Malusardi e Michele Liistro, affiancati da Luca Fiorentino e da Giovanni Mercurio – ed è di grande respiro, oltre che molto impegnativo perché la sua realizzazione dovrebbe fornire riscontri circa una più larga applicazione di criteri di bonifica e di rinnovo in tutte le più impegnative zone del centro storico, specie in quelle più degradate. Naturalmente, anche da parte di esponenti qualificati della comunità ebraica, sono state espresse preoccupazioni circa un possibile snaturamento delle caratteristiche del quartiere e circa il fenomeno già altrove verificato dell'inevitabile marginalizzazione (magari addirittura l'espulsione) dei vecchi abitanti non in grado di sostenere gli oneri derivanti dalla necessità di recuperare le spese di intervento. A questo proposito, il Benedetti ebbe ad affermare: «Al di là dell'utopia degli anni Settanta – in cui si pensava e si voleva che il restauro sociale dei centri storici fosse legato esclusivamente al mantenimento della popolazione già installata [una presa di posizione ideologica che nel frattempo si è rivelata essere piuttosto una mitologia che non una realtà] – noi pensiamo che l'area del Ghetto abbia le caratteristiche per evitare la fuoruscita della popolazione con il conseguente snaturamento dell'ambiente».

«Infatti», proseguì Benedetti, «proprio la coesione sociale economica e culturale della comunità insediata ci fa ben sperare in un suo interesse e desiderio di mantenere questo stato di cose.

D'altra parte noi, dopo lo studio urbanistico, abbiamo intenzione

di avviare uno studio per la gestione di finanziamenti agevolati cui
possa accedere il privato per la strutturazione del singolo appartamento. Poiché la ristrutturazione, già nella sua primissima fase, ri-
qualificherà la zona, ad evitare speculazioni e garantire quindi la
realtà esistente, verranno individuati dei meccanismi, come per
esempio vincoli di permanenza, che consentiranno ai residenti di
rimanere ed eventualmente favoriranno il rientro di quanti siano andati a vivere in altre zone della città.»

L'ambizioso progetto che, ormai dal 1989, attende un «via» per il
graduale avanzamento, coinvolge una ben più vasta zona urbana,
dall'intero nucleo del rione S. Angelo, ai contermini territori sotto-
stanti il Campidoglio e l'isola Tiberina.

Una caratteristica essenziale del piano è la previsione del coinvolgimento delle imprese private nell'iniziativa pubblica per combi-
nare il realismo dell'operatività, attenta realisticamente ai rendi-
menti economici, e la necessaria sensibilità verso la tutela della
preesistente situazione socio-economica-religiosa da non manomet-
tere, ma semmai da reintegrare con piena aderenza alla sua logica
secolare. Dopo gli inesorabili sventramenti di epoca umbertina e di
epoca fascista, che risolsero il problema delle situazioni preesistenti
costringendo i vecchi abitanti all'abbandono dei loro tradizionali al-
loggiamenti e costringendoli, nei casi peggiori, a traslocare in
quelle inverecondo sistemazioni provvisorie che furono le «borgate»
extraurbane, non si sono avuti che sporadici interventi in vecchi tessuti urbani. Tali sono gli esempi della zona di Tor di Nona e delle
cosiddette «case di S. Paolo», applicati peraltro ad edifici di cui ci
si era previamente assicurata la proprietà pubblica. Gli interventi in
quei casi sono stati lunghi e costosi e, alla fine, nonostante tutto lo
sfoggio delle ideologie populiste, la base demografica delle zone è
risultata totalmente sovvertita: non sono stati conservati né i tessuti
umani preesistenti, né il complesso delle vecchie attività lavorative
(piccoli laboratori, minuti commerci). Nel caso del previsto recupero del Ghetto, l'approccio risulta più realistico e soprattutto in
giuste dimensioni più ampie che, proprio per la loro vastità, non
possono eludere le questioni dei costi e dei loro recuperi. Infatti
l'area presa in considerazione è molto vasta e tale da imporre la so-
luzione di molti problemi, compresi quelli della convivenza con i
mezzi meccanici di trasporto privato. Inoltre i forti finanziamenti
privati richiesti impongono di lavorare con senso di realismo nell'i-
potesi di ottenere una vitalità economica dell'area interessata. Può
essere un fattore positivo il fatto dell'esistenza di un nucleo di popolazione compatto ed omogeneo come preciso riferimento etnico-
storico e come livello sociale: ciò impone infatti una continua e
contestuale verifica delle ipotesi con le conseguenze effettive dei
provvedimenti.

Come si è detto, l'area presa in considerazione è compresa nel pe-
rimetro «via e largo Arenula, via Florida e via delle Botteghe

Oscure, via e piazza dell'Aracoeli, via del Teatro di Marcello, via del Foro Olitorio, piazza di Monte Savello e lungotevere Cenci». Si tratta di una superficie di circa 18-19 ettari che probabilmente aggregherà anche l'area dell'isola Tiberina e la stessa pendice capitolina.

Il vero e proprio piano di recupero sarà concentrato in una zona più limitata, consistente nel nucleo di quella considerata in generale: e precisamente l'ambito attorno alla Sinagoga, via del Portico d'Ottavia, via di S. Ambrogio e via della Reginella. Si interverrà con procedimenti di risanamento solamente sugli edifici più vecchi, normalmente risalenti al Medioevo e al Rinascimento; gli altri edifici di epoca più recente riceveranno solamente interventi di bonifica più limitata e di consolidamento. Infatti le costruzioni di effettiva origine remota non sono molte perché, dopo la distruzione del vecchio Ghetto e la trasmigrazione della popolazione che non si volle allontanare dalla zona e si trasferì nelle strade contermini, gli edifici vennero largamente riattati o rifatti.

Quello che era il compatto ed estremamente degradato avanzo medievale, corrispondente alla zona in cui erano state delimitate le possibilità residenziali della popolazione ebraica, venne inesorabilmente distrutto per dare luogo alla sistemazione attuale con il Tempio rinnovato e le moderne costruzioni.

Da descrizioni di qualche anno addietro del progetto ricaviamo questa sintesi del programma di intervento messo a punto:

1. *Opere di recupero urbano*, cioè riqualificazione delle aree sociali e degli edifici per i servizi pubblici. Pertanto si interverrà sulle vie e sulle piazze, non escluse le infrastrutture: rete idrica e fognaria, rete elettrica e di pubblica illuminazione, rete telefonica;

2. *Opere di recupero edilizio primario*, che riguarderanno la verifica statica e funzionale dei complessi edilizi, con interventi sui prospetti, sulle coperture e negli spazi condominiali;

3. *Opere di recupero edilizio secondario*, per l'adeguamento e la riqualificazione delle singole unità immobiliari, alloggi e negozi, da definire in accordo con la comunità, i proprietari e gli utenti.

È previsto che società miste fra Regione, Comune e banche provvedano al finanziamento dei lavori per quanto riguarda i primi due tipi di interventi. Un esperimento del genere è già in atto a Torino per il recupero di alcuni isolati abbandonati nel centro storico.

È molto interessante per la sua novità e per la caratterizzazione del progetto in senso democratico la previsione dell'attuazione di una parte di esso mediante il coinvolgimento diretto della comunità ebraica come tale e dei singoli proprietari ed utilizzatori della zona in particolare.

UNA TRIBÙ D'ISRAELE SULLE RIVE DEL TEVERE: STORIA DEGLI EBREI A ROMA E CARATTERE DELL'EBRAISMO ROMANO

In questa città cosmopolita la presenza ebraica è stata sempre qualcosa di particolare. Tutti i popoli sono venuti, eppoi se ne sono andati o si sono integrati.

Gli Ebrei solamente, per quanto presenti da duemila anni e divenuti autenticamente romani, sono rimasti differenziati e compatti. Nel cuore della città un ristretto quartiere resta come loro ideale centro di riferimento: il Ghetto.

Nella diaspora ebraica per il mondo, provocata dalla politica imperiale di Roma, la comunità giudaica – che si era insediata nella capitale dell'antichità, già molto prima di quella dispersione – rappresenta un elemento di particolare rilievo. Benché le condizioni ambientali non le abbiano consentito – come del resto in tutta la penisola italiana – di assumere le imponenti dimensioni demografiche che il popolo ebreo ha conosciuto in altre terre, soprattutto quelle delle regioni orientali d'Europa e della stessa Europa centrale, la colonia giudaica ha qui rivestito il carattere storico di un avamposto nel cuore stesso della cristianità.

Emarginati dalla popolazione romana nella loro qualità di forestieri dediti ai traffici e come tali confinati nei quartieri del Trastevere e dell'Aventino, abitati di preferenza dai forestieri e dai commercianti, gli Ebrei vennero sostanzialmente tollerati con i loro riti e i loro costumi. Vennero coinvolti insieme ai Cristiani solamente in occasione della prima persecuzione, perché confusi con l'immigrazione cristiana dalla Palestina della quale era esponente lo stesso Pietro. Però già con Claudio imperatore gli Ebrei avevano ripreso il loro posto in Roma, avviando quella continuativa presenza che sarebbe proseguita fino ai nostri giorni.

Altrove gli Israeliti hanno conosciuto forme di sviluppo economico assai più importanti e magari hanno conseguito più elevati livelli di sviluppo culturale e filosofico, sia nell'esegesi biblica, sia nelle discipline filosofiche, matematiche e mediche, nelle quali gli Ebrei erano favoriti dalla diffusa conoscenza dell'arabo. Ma in nessun luogo la loro presenza ha assunto quello speciale rilievo che derivava dall'essere un osservatorio diretto nel centro della cristianità e dal confronto dottrinario con la religione cristiana sviluppatasi dal tronco stesso del giudaismo. Proprio su questo terreno, del confronto dottrinario, avvennero del resto gli scontri con il potere pontificio. Qui non si ebbero né *pogrom* provocati dall'invidia di sovrani per le ricchezze accumulate nell'attività mercantile e finanziaria, né straordinarie forme di vessazione a sfondo economico (controversa fu la disciplina del prestito variamente considerata secondo i periodi. La repressione dell'usura verso i poveri avvenne soprattutto attraverso l'istituzione del Monte di Pietà, a metà del Cinquecento).

A Roma si ebbero piuttosto, in successivi e alterni episodi, interventi limitativi dell'autonomia e della stessa libera circolazione (dall'imposizione di segni distintivi alla distruzione di libri religiosi, fino alla reclusione nel Ghetto), provocati dal timore del confronto ideologico. Nonostante le venature di apparente disprezzo per l'ebraismo, in realtà il papato dimostrò sempre un'alta considerazione delle qualità degli Ebrei romani, sia in singoli casi per le doti professionali di alcuni di loro, sia per la preparazione teologica dei loro rabbini, sia per la compattezza, tacciata di pervicacia, dell'intera colonia nel mantenersi fedele alla propria legge, attestata anche con notevole coerenza di costume e di comportamento.

Nel rapporto con la colonia ebraica romana, la popolazione cristiana, pur attraverso alti e bassi di tolleranza indotti anche dall'atteggiamento degli stessi papi nei confronti degli Ebrei, determinato da motivi religiosi o di governo, fu incline ad un formale distacco venato di disprezzo per comportamenti di costume, per formule rituali e per espressioni linguistiche che non comprendeva, piuttosto che a vere e proprie persecuzioni. Il *pogrom* nostrano è arrivato ad episodici assalti al Ghetto, che si risolvevano più in qualche latroneccio e in forme di spavento che non in fatti sanguinosi. Il fanatismo religioso, specie in occasione delle ricorrenze cristiane della Pasqua, era spesso all'origine di certe occasionali aggressioni individuali o collettive al Ghetto, contro le quali era costretta ad intervenire la stessa polizia. Per esempio, in occasione della Settimana Santa, la grande confraternita del Gonfalone aveva il privilegio di inscenare rappresentazioni edificanti al Colosseo (esse traevano origine addirittura da certe manifestazioni religiose che la stessa confraternita, fin dal XIII secolo, inscenava presso il Testaccio).

Tali rappresentazioni richiamavano in qualche modo l'uso dei *circenses* antichi (non per niente la confraternita del Gonfalone era fra le più ricche). La localizzazione di quelle scene nel Colosseo era suggerita dalla persuasione che in quel luogo si fossero svolti molti episodi di martirio dei primi Cristiani (il culto dei martiri sempre vivo nella comunità romana era stato rinverdito dalle scoperte cinquecentesche nelle catacombe). Così, ad ogni Settimana Santa, per circa due secoli, vennero inscenate le fasi della Passione del Redentore e c'è da immaginare con quale truculenza venissero descritti i vari passaggi. Tanto infatti occorreva per interessare davvero una popolazione piuttosto rozza, sensibile solamente ai colori forti. Ma tale era di conseguenza la commozione ingenerata da quelle rappre-

Il portico d'Ottavia in un'incisione di G.B. Piranesi (XVIII secolo).

sentazioni che la folla usciva dallo spettacolo dolorante e rabbiosa, pronta a sfogare le sue ire sui malcapitati Ebrei residenti a Roma, considerati eredi e corresponsabili della folla che aveva gridato il *Crucifige* a Gesù. Gli eccessi che se ne producevano dovevano essere paragonabili a quelli normalmente provocati dalle «Giudiate», un altro genere di spettacoli che, durante il carnevale, si montavano in varie parti della città. Queste erano piuttosto delle scenette denigratorie della vita ebraica o rievocative di asseriti atti provocatori degli Ebrei contro i Cristiani che si inscenavano con molto realismo. Non bastava agli Ebrei tenersi alla larga da quei luoghi, o di stare magari ben serrati nel loro Ghetto, perché la gente correva a snidarli. L'Ebreo, visto come sacrilego autore di gesti anticristiani o come usuraio profittatore, veniva identificato nel mercante di cui si voleva svaligiare il fondaco. La sbirraglia pubblica era costretta ad intervenire per evitare il peggio finché ci si persuase a mettere fine a quelle rappresentazioni: la confraternita del Gonfalone ritrasse le scene della Passione nel proprio oratorio (e ne derivò il più bel ciclo pittorico del manierismo romano) e san Leonardo da Porto Maurizio eresse nell'arena del Colosseo le quattordici cappellette della Via Crucis, rimosse dagli scavi ottocenteschi.

Restavano però nel costume romano, pur nel rarefarsi delle aggressioni organizzate alla colonia ebraica, alcune costumanze che avevano un contenuto sostanzialmente denigratorio, combinato a vessazioni di carattere fiscale. Per esempio, i giochi carnevaleschi avevano da tempo immemorabile tratto spunto dalla presenza ebraica. Si parla di un ebreo che veniva rotolato dentro una botte lungo la costa del monte di Testaccio e si ripeterono a lungo le corse degli Ebrei insieme con quelle delle meretrici durante il ciclo delle gare sul Corso, finché tutto venne riassunto e rimpiazzato dalle corse dei bàrberi. Gli Ebrei avevano infatti ottenuto di sostituire tali forzate prestazioni con la corresponsione di uno speciale tributo collettivo. All'apertura del carnevale i maggiori esponenti della comunità salivano in Campidoglio a rinnovare un atto d'ossequio al popolo romano, contestuale alla presentazione del «palio» (un drappo di stoffa di buon valore). Il Senatore li congedava con un calcio che, pur essendo simbolico, non risultava meno offensivo. Anche sul percorso della cavalcata papale verso il Laterano per il «possesso», la comunità inviava i propri esponenti a fare atto di sottomissione, ciò che voleva pur sempre significare il distacco di quella comunità dalla popolazione romana e la precarietà della sua condizione di tollerata.

Anche altre forme di scontro, profondamente risentite dagli Ebrei, furono di natura religiosa, come la giuridica affermazione di prevalenza del diritto del battezzato, benché Ebreo, su quello della comunità israelitica e come tutta la vessata questione dell'ospizio dei catecumeni.

Eppure, nonostante questa radicale contrapposizione – che trovava occasionali addolcimenti nello spirito di certe fasi storiche o nel temperamento di alcuni papi – la comunità ebraica romana non è mai stata tentata dall'ipotesi di una ulteriore diaspora. La posizione occupata nel cuore della fede cristiana e poi in quello delle strutture cattoliche meritava di essere presidiata in ogni caso. Né, d'altra parte, il papato ha mai pensato di disfarsi in via permanente di quella presenza. Si è trattato probabilmente di un profondo e forse inconsapevole rispetto per quelle radici del Cristianesimo che gli Ebrei impersonavano con le loro tradizioni e con il loro corpo dottrinario, o forse anche del convincimento dell'utilità rappresentata per lo Stato dalle peculiari capacità degli Ebrei come mercanti: la Curia romana finì comunque per tollerare sempre quella presenza. Quando altre monarchie si disfecero delle loro presenze ebraiche, anche con compiacenti motivazioni religiose avallate dall'Inquisizione, il papato non pensò minimamente a dare il bando agli Ebrei. Accolse invece i profughi, sollevando anzi le reazioni della «tribù» installata sul Tevere da tempo immemorabile.

L'arrivo dei profughi spagnoli, siciliani e di altre terre costituì forse il maggior trauma subito dall'ebraismo nostrano nel corso dei secoli. La «tribù» aveva trovato la sua dimensione e la sua collocazione in un clima di rispetto di fondo generalizzato, in un equilibrio tra bisogni e risorse che la moltiplicazione degli effettivi ebraici veniva a porre in difficoltà. Curioso fu, in quel caso, all'epoca di papa Borgia, connazionale di molti dei profughi, l'intervento della Chiesa per obbligare gli Ebrei romani a fare spazio ai sopraggiunti.

Senza altre scosse esteriori, il nucleo dell'ebraismo romano continuò a convivere con i Cristiani della capitale cattolica, nel centro dei pellegrinaggi mondiali, in quella città che aveva assunto addirittura, nell'immaginazione dei Romei, la figura di una rinnovata Gerusalemme. Continuò così la singolare simbiosi cristiano-giudaica, in un equilibrio di posizioni, non scalfite né da un impossibile proselitismo ebraico, né dalla predicazione cattolica per una conversione che trovava limitati adepti.

La chiusura in uno speciale distretto della città, avvenuta all'epoca della Controriforma, e comportante una rigida impossibilità di reciproche frequentazioni tra Cristiani ed Ebrei, costituì senza dubbio una decisione crudele. In effetti si toglieva agli Ebrei, naturalmente dediti alle attività commerciali e di servizio, la possibilità di usufruire del pubblico cristiano, con gravi conseguenze di impoverimento economico; oltre a ciò i limiti di spazio troppo ristretti comprimevano le esigenze di dilatazione di una comunità in crescita demografica. Spazio ridotto e povertà diffusa dovevano gradualmente condurre a quella degradazione ambientale del Ghetto che tanto colpiva i viaggiatori dell'Ottocento.

Eppure quell'ingiusto provvedimento ha avuto anche qualche effetto positivo per la comunità ebraica. Per sua natura essa aveva sempre teso ad un proprio accorpamento, tanto è vero che nell'area che Paolo IV destinò al Ghetto, solamente un quinto degli abitanti era cristiano e dovette sloggiare, lasciando nell'interno della zona recintata qualche palazzo di rilievo e alcune chiese poi distrutte. Ma la delimitazione ufficiale dell'area portò ad un regime di semi-libertà anche giuridica del gruppo ebraico. Benché le strade del Ghetto fossero aperte ai visitatori ed acquirenti cristiani – ed alle forze di polizia – in realtà (e non solamente di notte, dopo la chiusura dei varchi delle mura) la vita del Ghetto era sostanzialmente autonoma. Così, anche se editti papali limitavano il numero dei luoghi di culto (e le cinque Scòle dovettero raggrupparsi in un unico edificio, come se si trattasse di un'unica sinagoga), nessuno ne contrastò la libertà di religione. Gli Ebrei, nella Roma controriformista e ottusamente chiusa ad ogni influsso forestiero fino all'Ottocento, furono gli unici non cattolici a poter osservare speciali tradizioni, propri rituali e persino un calendario differente. Nelle Scòle si tenevano riti di culto ebraico, mentre i protestanti presenti a Roma per celebrare le loro funzioni dovevano recarsi a villa Borghese, fuori le mura!

Tanto singolare, e in qualche modo autonoma, era la vita nel Ghetto, che persino il diritto dovette piegarsi ad introdurre speciali istituti, come il cosiddetto «ius gazagà»: esso contemperava il divieto di possedere in proprietà gli alloggi, che quindi erano proprietà di Cristiani; ma la corresponsione del fitto, stabilito dall'autorità, consentiva una facoltà d'uso indeterminato che si poteva persino ereditare!

Di conseguenza, questo speciale inquilinato era autorizzato ad apportare modifiche allo stabile e all'appartamento: cosa di cui gli abitanti del Ghetto si avvalsero abbondantemente, stretti com'erano dal bisogno di spazio.

Gli Ebrei ebbero poi proprie istituzioni rappresentative e associative.

In primo luogo l'Università, o Comunità, che regolava l'intero andamento della vita comunitaria, in modo particolare sotto l'aspetto fiscale perché era collettivamente responsabile dei tributi da corrispondere alla Camera apostolica e al Comune. Molto più sentite dalla gente furono le confraternite, che assolvevano soprattutto a funzioni assistenziali e caritative verso i poveri (dentro il Ghetto erano circa un terzo i bisognosi). Infine il funzionamento anche rituale della Sinagoga era assicurato in piena autonomia dagli stessi aderenti alle diverse Scòle. Membri della Comunità adempivano anche alle funzioni oggi attribuite ai rabbini, un tempo solamente maestri e giudici.

Non intendiamo minimamente suggerire un quadro idilliaco; né il nostro intende essere, in qualche modo, un ragionamento consolatorio o assolutorio di errori e misfatti. Vuole essere una constatazione circa l'unica forma d'intesa che si ebbe sostanzialmente in Roma tra Cristiani ed Ebrei: la convivenza veniva accettata sulla base della precisa delimitazione di una sfera ideologica e territoriale per la autonomia degli Ebrei romani. Con scarse conversioni, determinate soprattutto da matrimoni misti, gli Ebrei rimasero nettamente separati dal popolo cristiano, come era necessario per la loro fedeltà al destino storico che li contrassegna; quello di popolo dalla Bibbia definito «eletto», ma in ogni caso e certamente carico di una peculiarità che contribuisce a farne un termine di contraddizione (specie nell'area geografica di provenienza, il Medio-oriente), ma che merita un grande rispetto, soprattutto dai Cristiani.

È quello che un papa, venuto da lontano e avveduto stratega dell'avvenire della nostra società, è andato a testimoniare poco tempo addietro nella Sinagoga romana. Passato il tempo della collettiva responsabilizzazione del deicidio, emerge soprattutto il carattere di un popolo dal cui seno e dalla cui tradizione sono sorti tanto il Cristo, quanto tutti i protagonisti della fondazione della *ecclesia* cristiana. Ha valso la pena resistere per secoli attraverso amarezze, contestazioni, punture di spillo o grandi soprusi per arrivare al giorno in cui un successore di Pietro ebreo e di Paolo ıv creatore del Ghetto ha proclamato «Voi siete i nostri fratelli maggiori!».

La compattezza della colonia ebraica in una terra, in una città e in una civiltà contrapposte, più che ostili, si è avvalsa anche dell'aggregazione in un determinato ambiente topografico. La forzata delimitazione di esso la ha consolidata, approfondendo le ragioni della reciproca solidarietà. Naturale che questa in qualche modo si allentasse quando, con la diffusione delle idee di libertà e di democrazia, non solamente vennero a cadere le mura fisiche del Ghetto tradizionale, ma andarono dissolvendosi anche quelle psicologiche. La conseguenza è stata sia la dispersione materiale della comunità in tutte le zone della città, sia un allentamento nell'osservanza religiosa e delle regole formali dell'appartenenza alla comunità. Resta comunque vero che il ricordo della tradizionale residenza rappresenta un avvertito richiamo per tutti gli Ebrei di Roma; per essi, quello che oggi chiamiamo il Ghetto e che conserva ben pochi caratteri del Ghetto tradizionale, travolto dalle distruzioni degli anni Ottanta dello scorso secolo, funge ancora da punto di riferimento e spesso di incontro, specie nelle maggiori occasioni tradizionali. Quello spazio, abitato ancora oggi da qualche centinaio di Ebrei e più densamente abitato prima della guerra, è sacro per tutti gli Ebrei romani anche per il ricordo della grande razzia compiuta dai tedeschi il 16 ottobre 1943 e per il fatto che anche recenti episodi di intolleranza e di aggressione ne hanno fatto il loro preferito e simbolico bersaglio.

Romani ed Ebrei

Passando dai grandi lineamenti storici alla storia più minuta, va riconosciuto che l'atteggiamento dei Romani verso gli Ebrei non è stato sempre, nel corso dei secoli, dei più simpatici. Pur non essendo mai degenerato in forme persecutorie violente, che sarebbero state in antitesi con la mentalità tollerante di questa città e con la stessa presenza degli organi centrali della Chiesa, si deve rilevare che non sono state poche le vessazioni soprattutto di carattere psicologico: l'irrisione, le beffe, i modi di dire irriguardosi, le tassazioni imposte dal Senato per finanziare le feste carnevalesche, come se gli Ebrei dovessero ogni anno riscattare il diritto alla loro presenza in Roma. Peggio poteva accadere dopo le funzioni della Settimana Santa, quando il fanatismo di qualche cattivo cristiano poteva immaginare di compiere addirittura un atto devoto commettendo un'aggressione ai danni di un erede del «popolo deicida». In realtà invece non furono pochi i papi che si valsero di medici e di astrologhi ebrei, la cui celebrità non mancava di conferire prestigio anche ai loro confratelli. È poi da attribuire al cattivo gusto di un'epoca per certi aspetti grossolana la antica consuetudine di far partecipare alle corse carnevalesche, insieme agli storpi e alle prostitute, anche vecchi ebrei. Fortunatamente l'uso scomparve piuttosto presto a vantaggio delle sole corse dei bàrberi (eleganti anticipazioni delle nostre gare ippiche), per le quali la comunità ebraica era tenuta a fornire i «palii».

Comunque un preconcetto facilone è sempre stata, nel tempo, l'idea che l'ebreo dovesse identificarsi con l'usuraio, con il banchiere o con il finanziere. Anche se una istintiva genialità ha portato spesso individui ebrei a tali professioni e a farne talvolta dei maghi della finanza, non si può generalizzare e occorre piuttosto riflettere che comunque le comunità ebraiche hanno finito sempre per vivere la vita e l'economia del posto del loro insediamento. A Roma, in effetti, in presenza di un'economia che non ha mai offerto grandi margini di manovra finanziaria, potrà essersi verificato il caso di qualche modesto usuraio o di abili manipolatori di affari; difficilmente si possono dare esempi di ebrei arricchiti, anche prima della loro chiusura nel Ghetto, quella che addirittura tolse respiro a qualsiasi loro attività commerciale. I grandi banchieri romani del Rinascimento – i Chigi, gli Acciaioli, i Medici – furono cristiani e venivano prevalentemente dalla Toscana, dove una prospera economia di scambi mercantili aveva promosso tale attività. Certamente non fu ebreo il Torlonia, che ascese a grande potenza economica tra Sette ed Ottocento.

Vivendo la vita della città, gli Ebrei romani non hanno avuto modo di affermarsi nell'economia come può essere successo altrove. E se è vero che, in epoca moderna, molti hanno intrapreso fortunati commerci (lo possiamo constatare quando per le maggiori festività ebraiche intere strade commerciali presentano la maggioranza delle serrande chiuse), l'ebreo romano non può identificarsi nelle professioni mercantili o nei livelli della maggior ricchezza.

Non mancano, infatti, accanto ai negozianti di tessuti, di abbigliamento e di antiquariato – eredi degli straccivendoli e dei rigattieri di

Banchi di pescivendoli presso il portico d'Ottavia in un'incisione di A. Anastasi (da Wey, cit.).

un tempo –, il venditore ambulante, il robivecchi di oggi, lo scarica-
tore dei mercati generali.

La comunità di Roma non è stata e non è certamente delle più ricche, quali certamente sono state e sono comunità di grandi piazze
finanziarie e di quei secolari centri di traffici marittimi e fieristici
che, soprattutto fino all'ultima guerra, hanno conosciuto, anche in
Italia, discreti insediamenti israelitici.

In ogni caso continua a pesare nella psicologia dell'Ebreo romano
il ricordo della reclusione nel Ghetto, cosa ben diversa dal volonta-
rio distacco che la stessa comunità ha osservato nei confronti della
maggioranza cristiana. Non dobbiamo pensarla come un'*apartheid*
all'incontrario, ma come un'istintiva volontà di protezione della
propria autenticità di popolo biblico. L'aver voluto identificare tale
naturale distacco con la forzata riduzione dentro una città murata
non è stata tanto una ritorsione, quanto una manifestazione di insi-
curezza da parte cattolica, in pieno periodo controriformista: una
pagina non gloriosa, fra l'altro contrastante con il proposito di convertire gli Ebrei perseguito mediante le prediche «coatte». Forse un
regime di integrazione di fatto avrebbe potuto servire allo scopo più
di un regime di isolamento. Certo avrebbe servito ad una migliore
comprensione e all'eliminazione di molte prevenzioni.

Per i Romani non ebrei, o addirittura cristiani professanti, l'antica
zona del Ghetto presenta un alone di valore storico e quasi di sa-
certà tanto per la continuità di vita di una parte tipica della nostra
città, quanto per quelle ingiuste sofferenze che vi si sono consumate,
probabilmente nella incomprensione degli estranei. L'avvenire dovrebbe essere ormai incamminato sul terreno non solamente della
tolleranza e del rispetto reciproco ma, sia pure nella differenzia-
zione di tradizioni e di ruoli, nella integrazione nell'ambito di una
stessa consapevole cittadinanza. Gli Ebrei romani, poi, non sono
secondi a nessuno nella loro aderenza alla tradizione romanistica,
nel culto per il dialetto romano-ebraico, nell'aspirazione ad avere
una città che, pure attraverso la trasformazione moderna, rimanga
fedele a se stessa.

Dopo l'avvento a Roma della capitale dello Stato italiano e la successiva immigrazione invasiva che ha profondamente trasformato la
stessa composizione demografica della città, gli abitanti originari
dei vecchi ceppi locali si sono rarefatti. Del resto anche essi, a ri-
percorrerne la genealogia, denunciano immissioni di provenienze da
altre regioni o addirittura da altre nazioni, tanto è sempre stato at-
tivo in Roma il processo di mescolanza con gente esterna, accolta in
uno spirito di comune appartenenza. Si verifica così che il ceppo
della popolazione certamente più originario e privo di mescolanze
risulta quello ebraico. Pur con le sue venature tradizionali particolari, il ceppo ebraico-romano è il più nettamente identificabile nella
popolazione di più lontana ascendenza. Abbiamo così un dialetto
romanesco-ebraico, abbiamo una cucina ebraico-romanesca, ab-

biamo un costume dai comportamenti che richiamano la duplice origine con le reciproche interferenze e intrusioni che ne fanno un'inestricabile mescolanza di due contributi.

Zanazzo parla degli Ebrei romani

Poche pagine tratte dal volume di Giggi Zanazzo – il popolare cultore delle tradizioni, del costume e della poesia della Roma ottocentesca (*Tradizioni popolari romane*) – definiscono meglio di ogni altro tentativo di ricostruzione il tipo di rapporto intercorso nei secoli tra la popolazione cristiana di Roma e il gruppo emarginato degli Ebrei. Prima ancora che intervenisse la fisica separazione, determinata dal muro eretto attorno al quartiere del Ghetto, esisteva un netto distacco psicologico per cui gli Ebrei restavano serrati dentro un sistema di obblighi (cose proibite, cose consentite).

Solamente nei momenti migliori, per volontà di singoli papi o per specifiche circostanze storiche, era assicurato il rispetto di una sorta di margine d'autonomia e di libero campo d'azione, delimitato per l'appunto dalla sfera dei comportamenti proibiti. I segni distintivi portati sull'abito rendevano evidente il confine mentale e di comportamento che doveva distinguere le due comunità, quella grande, la cristiana, e quella limitata degli Ebrei.

La conseguente emarginazione dell'ebraismo nostrano causava fraintendimenti, dicerie, dileggi come sempre si verifica nei confronti di minoranze staccate dal corpo della società. Ogni comportamento particolare degli Ebrei derivante dall'osservanza degli speciali riti religiosi tanto connessi al costume e al calendario costituiva motivo di osservazione spesso malevola. Si aggiunga un certo astio conseguente al tipo di attività preferito dagli Ebrei stessi, quella mercantile e finanziaria (al cui ovvio carattere speculativo è facile attribuire, soprattutto in momenti di carestia e di miseria, un carattere parassitario) e ci si accorgerà come fosse facile passare dalla malvolenza all'astio. Va anche messa in conto la conseguenza del rinserramento dentro il Ghetto, che costringeva gran parte degli Ebrei a vivere nella più nera miseria e in condizioni di ambiente e di igiene negative: tutto ciò si rifletteva naturalmente nell'aspetto, nel vestiario e nel portamento; ne derivava nei Cristiani un riflesso di superiorità e di disprezzo. Tutto questo si rivestiva poi di una pseudo-giustificazione religiosa, nella quale riecheggiavano le condanne morali comminate dai padri della Chiesa verso il popolo considerato non solamente responsabile della morte di Gesù, ma renitente ad abbracciare la nuova fede, nonostante che essa fosse scaturita dall'ebraismo.

Pur con tutto ciò, crediamo che negli spiriti superiori la tentazione del rifiuto non potesse non essere, se non vinta, almeno equilibrata da una certa ammirazione sia per la compattezza della minoranza ebraica che per la sua fierezza, oltre che dalla considerazione per quei suoi membri che eccellevano nell'iniziativa mercantile o assurgevano a rinomanza scientifica e medica.

La testimonianza del Zanazzo è di singolare valore. Allo stesso modo del Belli, egli si è immedesimato nello spirito del popolo, fino ad adottarne il linguaggio romanesco, che dà uno spiccato sapore di verità ai testi.

Quelle testimonianze vennero raccolte nei decenni subito dopo il Settanta, nell'ambito di quel movimento di valorizzazione delle tradizioni, del linguaggio popolaresco e del folclore che impegnò uomini come il siciliano Pitré, il d'Ancona, il Morandi o, a Roma, il Sabatini.

Nel momento stesso in cui tutte le tradizioni particolaristiche e dialettali declinavano al contatto con la nuova realtà unitaria nazionale, queste raccolte servirono a conservare la memoria di un prezioso retaggio di costume.

Queste considerazioni valgono anche per le rapide e fresche note sul rapporto Romani-Giudei. Se ne trae la sensazione di due entità che vivevano accanto, che si costeggiavano e si intersecavano, ma che restavano differenziate non tanto da un muro in qualche modo aperto sia pure con pochi varchi, ma da una più impervia muraglia di prevenzioni.

Li ggiudìi

A ttempo der Papa speciermente, li giudìi ereno mar visti dapertutto.

Pe' ffalli cresce in odio, se diceva che in tempo de la Pèseca de loro (che ssarebbe la Pasqua), le zzimmèlle che mmagneno in de l'otto ggiorni prima de la Pasqua, ereno impastate cor sangue d'un regazzino cristiano che lloro rubbaveno e ppoi svenàveno.

A ttempo mio, una quarantina d'anni fa, 'gni tanto se spargeva la voce, nun se sa dda chi, che 'na cratura cristiana era stata rubbata da li ggiudìi.

Da li romani ereno puro accusati d'aricettà' tutta la robba che ss' arubbava pe Roma; e dde fa' li corvattari, che ssarebbe de prestà' li sordi a strozzo.

Staveno, poveracci, confinati in Ghetto, in certe taverne tarmente sporche e puzzolente, che ffaceveno arivortà' er budello; e ereno la calamita de tutti li scherzi li ppiù puzzoni, da parte de tutta la canaja e la canajola cristiana.

Usanze de li ggiudìi

Li ggiudìi, allora, staveno tarmente attaccati a la relliggione de loro, che nun magnavano mai carne de porco; e la festa, ossia lo sciabbà (er sabbito), nun annaveno in carettella, nun maneggiaveno li quatrini, e insomma nun faceveno gnente, tant'è vvero che nun accenneveno nemmanco er fôco pe' mmagnà'.

I'mmodo che ttutti li vagabbónni cristiani, quanno era entrato lo sciabbà (ch'entrava er vennardì a ssera) ggiràveno pe' Ghetto strillanno: «Chi appiccia?!».

Li ggiudìi li chiamaveno, e ccor un gròsso (cinque bbajocchi) er cristiano j'accenneva er fôco, j'annava a ffa la spesa e ccerte vorte je cucinava puro.

Anzi le famìje ggiudie bbenestante, pe' nun vvedese pe' ccasa sempre facce nòve (e cche ffacce!), ciaveveno la serva ch'era sempre una cristiana.

Er vennardì a ssera, m'aricordo come si ffussi adesso, a ll'ora ch'entrava la festa de loro, er sagrestano de li scòli ggirava pe' Ghetto strillanno: «È entrato lo sciabbà'!».

Li ggiudìi in der Carnovale

Er primo ggiorno de Carnovale, ddice, ch'er Capo Rabbino de Ghetto annava a riverì er Senatore romano e a inchinajese d'avanti co' la capoccia insino a ttera.

Allora er Senatore, bbôna grazzia sua, je metteva un piede su la capoccia, oppuramente lo mannava via cor un carcio indove se sentiva mejo, in nome de Baruccabbà.

Cor tempo poi levorno 'st'usanza bbuffa, e in cammio, obbrigorno li ggiudìi a ppagà' ttutti li palii che vvinceveno li bbarberi a le corse che sse faceveno p'er Corso in de li otto ggiorni de Carnovale.

Li ggiudìi a pprèdica

Cinque o ssei vorte a ll'anno (infinenta che ha regnato papa Gregorio), ereno obbrigati er doppo pranzo de 'gni sabbito, d'annà' a ssentì' la predica fatta da un missionario a Sant'Angelo in Pescheria o a la Madonna der Pianto: forse co' la speranza che sse fusseno convertiti.

Ma ssai che ffantasia che cciaveveno! Dice, che ccerti ggiudì' s'atturaveno l'orecchie co' la bbambacia.

Quelli che nun voleveno annà' a ppredica pagaveno un testone de murta peròmo.

E ssi ner tempo che ddurava la predica s'addormiveno, uno sbirro o uno sguizzero der papa, che je stava a ffa' la guardia, li svejava co' 'na nerbata.

Li dispetti a Ghetto

Anticamente ogni bburiana che ssuccedeva drento Roma, annava a ffinì' cor dà' er saccheggio a Ghetto.

A ttempo mio, invece, tutt'er giorno nun se faceva antro che ffaje un sacco de dispetti, poveri disgrazziati, e dde chiamalli somari.

De Carnovale poi nun se faceveno antro che mmascherate che mmetteveno in caricatura le funzione de li scòli.

E sse rippresentaveno certe commediacce chiamate le Ggiudìate, indove li ggiudìi ereno messi in ridicolo e sbeffeggiati.

Er candelabro d'oro de li Giudìi

Er candelabro che sse vede scorpito sotto a ll'arco de Tito, era tutto d'oro e lo portorno a Roma da Ggerusalemme l'antichi romani, quanno saccheggiorno e abbruciorno quela città.

Dice che ppoi in d'una rattatuja che cce fu, in de lliticàsselo che ffeceno pe' scirpallo, siccome se trovaveno sopra a pponte Quattrocapi, lo bbuttorno a ffiume, accusì nun l'ebbe gnisuno e adesso se lo gode l'acqua.

Le ggiudìe e la Madonna

Quanno le ggiudìe stanno pe' ppartorì', ner momento propio de le doje forte, affinché er parto j'arieschi bbene, chiameno in ajuto la Madonna nostra.

Quanno poi se ne so' sservite, che cciovè, hanno partorito bbene, pijeno la scópa e sse metteno a scopà' casa dicenno: «Fôra Maria de li cristiani!».

Pe' cconvertì' li Giudìi

Pe' ffa' diventà' cristiani li ggiudìi, o ppe' ddì' mmejo, pe' ffaje vienì' la fantasia de convertisse, abbasterebbe a bbuttaje addosso, senza che sse n'accorghino, quarche ggoccia d'acqua der fiume Ggiordano, ossia de quer santo fiume che stà in Terasanta.

È indificile a precurassela com'era prima che la venneveno li ciarlatani; ma anche adesso se pô avè' dda quelli che vvanno in pellegrinaggio da quelle parte de llàggiù.

Sibbè' cche nun passava anno ch'er sabbito santo, a San Giuvanni Latterano, de ggiudìi se ne bbattezzaveno fra ommini e ddonne, sempre quattro o ccinque.

Era una bella funzione.

Da commare e da compari, je ce faceveno li ppiù gran signori de Roma, e ddice che ogni ggiudìo che sse convertiva s'abbuscava ottanta scudi e dda magnà' ppe' ttutta la vita.

Tappe della vicenda degli Ebrei in Roma cristiana

Con Costantino ed i suoi successori la religione cristiana si fa dominante in Roma e l'Impero la trasforma in religione dello Stato, cioè riduce il Cristianesimo ad *instrumentum regni*: una prassi che sarà di tutti gli Stati fino alla moderna instaurazione di sistemi di libertà e di democrazia. Il concetto che la religione costituisca un fatto privato, «peculiare della persona umana» è stato in permanenza contrastato dal principio *cuius regio eius religio*, che provocò un apparente unanimismo spirituale. In questa compatta situazione socio-politico-religiosa, contrassegnata dall'unanimismo e dal proselitismo, gli Ebrei posero il problema dell'osservanza della propria religione (antagonista di quella ufficiale) e della conservazione della loro autonomia comunitaria sotto una propria organizzazione e giurisdizione (quella che fu l'«Università» ebraica). Si può storicamente comprendere che questo fenomeno unico di resistenza allo Stato e all'ideologia dominante (peraltro simile a quello dei Cristiani nei confronti dello Stato imperiale pagano che aveva risposto con le ritorsioni persecutorie) abbia dato luogo ad un confronto permanente, spesso degenerato in scontro tra il potere e l'ortodossia cristiana da una parte e le colonie ebraiche dall'altra. Peculiare era la situazione di Roma, cuore stesso del Cristianesimo, sotto l'influenza politica del papato e, poi, dopo il Quattrocento, capitale dello Stato temporale, consolidato in forme moderne. In ogni caso, gli Ebrei che fino a Costantino si erano trovati alla pari con i Cristiani nella città di Roma, talvolta confusi con essi per certi aspetti della loro religiosità, vennero a trovarsi in situazione di minorità. Non dovettero più vedersela con uno Stato sostanzialmente agnostico, ma con una forza religiosa, gradualmente divenuta anche potenza temporale, che tendenzialmente li rifiutava per la loro pervicace resistenza nell'antico «credo».

La millenaria resistenza degli Ebrei va considerata come un fenomeno storico eccezionale, spiegabile solamente con le motivazioni psicologiche derivanti dall'idea del «popolo eletto» o, per chi crede, da un disegno provvidenziale che si manifesta anche a favore dell'ebraismo. In ogni caso è singolare che la reazione cristiana, pur attraverso gesti dolorosi e sistemi di repressione di varia durezza, non sia riuscita (e forse non ha voluto) venire a capo di quella resistenza. Nel circoscritto ambito romano, si nota anzi che un vero e proprio proposito di allontanamento degli Ebrei si profilò solamente con Pio v, papa zelante e santo, subito contraddetto dal successore Sisto v, uno statista realista e illuminato. Il principio base che resse i

Scorcio della chiesa di S. Angelo in Pescheria alla fine dell'Ottocento (incisione di D. Lancelot, da Wey, cit.).

rapporti cristiano-ebraici in Roma venne fissato nel 600 da Gregorio Magno: una sorta di «capitolazione» in cui una serie di prescrizioni negative identificava un'area di autonomia per la vita e l'attività degli Ebrei. Il confine tra i due settori del proibito e del consentito è risultato elastico ed addirittura fluido nel tempo anche se, ad un certo momento, è stato reso visibile con la prescrizione di indossare speciali distintivi o addirittura con l'isolamento dentro un Ghetto. Ma il principio è rimasto immutato e i più obiettivi dei papi si premurarono che almeno l'area delle autonomie non venisse invasa dall'arroganza o della prevaricazione dei cattivi cristiani.

Pervenuta finalmente la storia alla affermazione dei princìpi di libertà personale e di tolleranza per ogni sorta di ideologia rispettosa della legge generale, si è aperta una nuova fase per l'esistenza delle colonie ebraiche largamente inserite nelle comunità che le circondano. Anche il movimento sionista, con la creazione di uno Stato d'Israele, non ha fondamentalmente intaccato – nel mondo occidentale – tale rapporto di omogeneizzazione e di lealtà. Si può forse parlare, almeno nel caso degli Ebrei romani, perfettamente integrati, di Israele come una sorta di remota patria dell'anima, nella quale si identificano i propri ideali storici ed alla quale lega una sorta di doppia cittadinanza ideale.

In questo regime di totale parità con i cittadini di ogni altra fede ed origine storica e sociale, e quindi anche con quella maggioranza che si riconosce nei dettami tradizionali del cattolicesimo, gli Ebrei romani non disconoscono la loro singolarità: cioè l'appartenenza ad un gruppo sopravvissuto puro nella propria originaria consistenza fisica e morale, nonostante persecuzioni e vessazioni del passato, ma che è rimasto esposto anche in tempi recenti a bufere dal misterioso senso sacrificale: si va dal grande olocausto del 1940-45 promosso dal nazismo (cui anche gli Ebrei romani hanno dato un consistente contributo) a certe vene di persistente antisemitismo che, anche come riflesso della crisi palestinese, hanno portato a dolorosi episodi culminati in un sanguinoso attacco alla Sinagoga romana del 1982.

Cronologia

Fine del sesto secolo. Sicut Judeis. Con questa bolla Gregorio Magno definisce le direttive della Chiesa verso gli Ebrei. Si afferma che gli Ebrei, pur vivendo nella comunità cristiana, debbono attenersi ad uno speciale comportamento a tutela della fede della maggioranza. Come corrispettivo del loro obbligo di non trasgredire i limiti imposti, nessuno può portare loro pregiudizio in tutto ciò che ad essi non resta vietato.

Verso il Mille. Le *scholae* ebraiche sono citate nel contesto dell'esistenza delle *scholae* delle altre comunità straniere viventi in Roma.

1130-1138. Pontificato di papa Anacleto II della famiglia dei Pierleoni, fondata da un ebreo convertito: dimostrazione di una certa integrazione raggiunta.

1215. Innocenzo III, come coronamento di una serie di prescrizioni delimitanti lo status giuridico e sociale degli Ebrei, fa votare dal Concilio Lateranense quarto l'obbligo per gli Ebrei stessi di indossare un contrassegno di color giallo onde evitare ogni commistione con i Cristiani.

1492. L'espulsione degli Ebrei dai regni di Aragona e Castiglia, seguita da analoghi provvedimenti in Sicilia, Napoli, Provenza e altrove, provoca un loro largo afflusso a Roma, favorito dallo spagnolo papa Alessandro VI Borgia; ne consegue un contraccolpo di gravi difficoltà nell'assetto della comunità ebraica tradizionale.

1527. L'invasione dei Lanzichenecchi provoca agli Ebrei le stesse sofferenze, distruzioni e depredazioni lamentate dall'intera città. Distruzione di arredi e libri sacri.

12 luglio 1555. Bolla *Cum nimis absurdum* del rigorista Paolo IV Carafa che, come estremo rimedio per delimitare la presenza ebraica, istituisce, ad imitazione di quello creato a Venezia nel 1516, il Ghetto di Roma. Con ciò ribadisce tutti gli antichi divieti, deplorando la loro parziale e progressiva inosservanza.

Primo maggio 1566. Bolla di Pio V, già capo dell'Inquisizione, che impone la chiusura delle sinagoghe romane, consentendone una solamente nell'interno del Ghetto.

I mestieri consentiti agli Ebrei romani in quel periodo risultano essere stati quelli di merciaio, orefice, ricamatore, sarto, setacciatore, fabbro-legnaiolo, cuoiaio, pescatore. Di volta in volta era consentita o vietata l'apertura di botteghe fuori del Ghetto o l'acquisizione di proprietà esterne.

1573. Gregorio XIII colloca una guardia armata a custodia del Ghetto contro i provocatori dei tumulti contro gli Ebrei.

1577. Lo stesso Gregorio XIII istituisce le prediche coatte tendenti alla conversione degli Ebrei ed istituisce il Collegio dei Neofiti, a spese dell'Università ebraica, per ospitarvi, durante un periodo di formazione, gli Ebrei convertiti.

1581. Autorizzazione concessa al Tribunale dell'Inquisizione di fare perquisizioni nel Ghetto alla ricerca di libri o documenti sospetti di avversione alla fede cattolica. Con ciò veniva violata quell'area di autonomia che era stato l'unico vantaggio del Ghetto.

6 ottobre 1586. Motu proprio di Sisto V *Christiana pietas* per alleviare le condizioni degli Ebrei, facilitandone lo stabilimento in tutto lo Stato ecclesiastico allo scopo di valersi della loro intraprendenza nello sviluppo dell'economia dello Stato. In particolare egli contava sugli Ebrei per introdurre in Roma l'industria della seta.

18 febbraio 1592. Clemente VIII vieta agli Ebrei il commercio degli oggetti nuovi.

25 febbraio 1593. Bolla *Caeca et obdurata* di Clemente VIII, che emana una serie di provvedimenti ulteriormente limitativi, ribadendo definitivamente le prescrizioni delle bolle successive a quella di Paolo IV.

25 febbraio 1593. Bolla di Clemente VIII per l'espulsione degli Ebrei dallo Stato ecclesiastico, salvo Roma, Ancona ed Avignone. Rincrudimento di normative vessatorie.

30 aprile 1698. Innocenzo XII riorganizza lo stato economico dell'Università ebraica, stremata dalle contribuzioni imposte.

5 aprile 1795. Editto di Pio VI Braschi *Sopra gli Ebrei*, con cui si richiamano in vigore i provvedimenti più restrittivi emanati in precedenza e soprattutto si insiste contro l'uso di edizioni del Thalmud, contro la Cabala e simili libri, e si vietano attività divinatorie da parte degli Ebrei. Riconferma dell'obbligo di indossare indumenti distintivi di color giallo.

1798-1814. Aperture successive e nuove chiusure del Ghetto, secondo l'andamento delle vicende politiche (repubblica giacobina, invasione napoletana, ritorno dei Francesi, pontificato di Pio VII, occupazione napoleonica, abbandono di Roma da parte dei Francesi, ripristino del governo papale).

30 luglio 1833. Ripristino di tutto quanto era comminato nell'editto del 1775.

Gli Ebrei debbono limitare l'area dei loro commerci alle zone attigue al Ghetto. Il resto della città rimane negato alle loro botteghe.

17 aprile 1848. Pio IX ordina l'abbattimento del muro del Ghetto.

Repubblica romana del 1849. Totale emancipazione degli Ebrei.

1852-1870. Senza più muraglie, la segregazione di fatto continua nel Ghetto, mentre perdurano gli antichi divieti.

1864. Chiusura delle botteghe di Ebrei camuffate con l'intestazione a Cristiani.

20 settembre 1870. Avvento dello Stato italiano a Roma e caduta dell'insieme di tutte le misure discriminatorie.

Primo maggio 1885. Convenzione del Comune con la Banca Tiberina per il risanamento del Ghetto.

1893. Incendio del Tempio Israelitico con le cinque Scòle.

30 luglio 1897. Il Consiglio comunale approva il compromesso con la Università Israelitica per l'acquisto dell'area destinata alla costruzione della nuova Sinagoga.

28 luglio 1904. Alla presenza del re, inaugurazione della Sinagoga.

1938. Avvio della politica razziale del Fascismo.

16 ottobre 1943. Cattura di 1023 Ebrei nella zona del Ghetto e deportazione nei campi di sterminio.

24 marzo 1944. Eccidio di 75 Ebrei nel massacro delle Fosse Ardeatine (in totale 335 uccisi).

12 giugno 1944. Riapertura della Sinagoga.

1961. Scoperta della sinagoga di Ostia, risalente al I secolo dell'era volgare.

9 ottobre 1982. Attentato alla Sinagoga: uccisione di un bambino.

13 aprile 1986. Papa Giovanni Paolo II visita la Sinagoga e, abbracciato il rabbino Toaff, pronuncia le famose parole «Siete i nostri fratelli prediletti, in un certo senso i nostri fratelli maggiori».

Consistenza demografica degli Ebrei a Roma

Le cifre che forniamo sono frutto di stime approssimate, raramente ricavate da effettivi censimenti. Generalmente, attraverso gli alti e i bassi della consistenza della popolazione romana, gli Ebrei si sono aggirati attorno al 4 per cento.

Epoca di Sisto v. Circa 3500;
Epoca di Urbano VIII. Circa 12.000;
Epoca di Alessandro VII. Circa 4000;
Fine Seicento. 6-7000;
Fine Settecento. 9-10.000;
Si verifica un esodo alla partenza dei Francesi da Roma;
1868. Circa 5000.
Attualmente si calcola una consistenza di circa 15.000 unità.

Segni della millenaria presenza ebraica in Roma

Le catacombe

Naturalmente le necropoli costituiscono la più tangibile testimonianza di una antica comunità. Ben sei catacombe ebraiche dell'epoca imperiale sono state scoperte fra le più di cinquanta cristiane. Esse costituirono una curiosa devianza dall'uso ebraico di seppellire i corpi nella nuda terra e non in loculi ed anche dal divieto di raffigurare il corpo umano. A somiglianza delle catacombe cristiane, anche quelle ebraiche romane presentano infatti vaste e raffinate decorazioni con soggetti e scene antropomorfici, oltre che ispirati ad oggetti simbolici o rituali. Sembra che la catacomba più antica sia quella scoperta sul Gianicolo nel 1602 dal Bosio, famoso riscopritore del mondo sotterraneo romano. Varie catacombe si trovano poi nel comprensorio della via Appia.

Infatti nel 1859 venne rinvenuta quella di vigna Randanini; nel 1886 fu trovato un cimitero sotterraneo sotto la vigna S. Sebastiano; altre catacombe sono a villa Cimarra e presso la via Appia Pignatelli. Ma forse le catacombe ebraiche maggiori sono quelle scoperte nel 1918 sotto il giardino di villa Torlonia. Si sviluppano su due piani e sono ben conservate. Tutte queste catacombe, a seguito del nuovo Concordato, sono state trasferite dalla precedente custodia assicurata dalla Santa Sede alla competenza dello Stato; attendono di essere sistemate per potervi consentire la visita.

I cimiteri

Il primo cimitero ebraico in superficie, dopo l'epoca catacombale, fu presso la porta Portese. Lì esso rimase fino alla creazione delle nuove mura dell'epoca di Urbano VIII. Comunemente definito in modo spregiativo come «ortaccio degli Ebrei», venne poi trasferito sull'Aventino, da dove venne spostato negli anni Trenta per lasciar spazio all'attuale sistemazione delle pendici del colle verso la valle del Circo Massimo. Il posto del cimitero venne occupato dal roseto comunale di valle Murcia, dove rimane qualche stele a ricordare l'antica destinazione del luogo. I cipressi che svettano attualmente nel piazzale con il monumento a Mazzini sono stati spostati dalla precedente collocazione al margine del cimitero. In

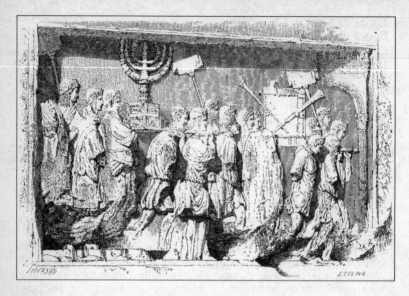

Particolare di uno dei rilievi dell'arco di Tito, tradizionale meta di venerazione degli Ebrei di Roma, insieme alla michelangiolesca statua del Mosè, *a S. Pietro in Vincoli.*

luogo di quel piccolo cimitero dell'Aventino venne poi aperto uno speciale settore del cimitero monumentale del Verano riservato agli Ebrei.

La sinagoga di Ostia

Significativo segno di presenza ebraica è anche la sinagoga scoperta ad Ostia antica agli inizi degli anni Sessanta. Si trova al limite della città, al termine del decumano, e con la sua estensione di 850 mq risulta la maggiore fra quelle conosciute in tutto il mondo occidentale. Essa dimostra la esistenza nella città portuale di una importante colonia mercantile ebraica.

La sinagoga di Trastevere

Si ha la certezza di sinagoghe che esistevano nel Trastevere, dove si concentrò la presenza ebraica fin verso l'anno Mille. Ne è stata individuata solamente una in un piccolo edificio a loggia di via dell'Atleta (su una colonnina si possono leggere scritte ebraiche).

L'isola Tiberina, che costituì una tappa nel trasferimento verso l'attuale zona del Ghetto (che venne detta *Ripa Judeorum*), conserva l'edificio, meritevole di sostanzioso restauro, del vecchio ospedale israelitico e del ricovero degli anziani (oggi trasferito alla Magliana). Anche qui, accanto al ponte Quattro Capi (o dei Giudei), funzionava una sinagoga, non più esistente.

Monumenti

Segni monumentali del rapporto della Roma pagana e della Roma cristiana con la terra degli Ebrei e con la loro storia sono costituiti rispettivamente dall'*arco di Tito* (che celebra la distruzione del tempio di Gerusalemme) e dalla prodigiosa raffigurazione di *Mosè* eseguita da Michelangelo per il sepolcro di Giulio II ed ora in S. Pietro in Vincoli. Altra raffigurazione di Mosè si trova al centro della grande mostra dell'Acqua Felice fatta eseguire da Sisto V davanti a S. Maria della Vittoria.

Il museo

Nel 1960 è stato inaugurato – a lato del Tempio – un museo della comunità ebraica romana, raccogliendovi documenti, testimonianze e superstiti oggetti rituali di carattere artistico. Una parte della raccolta documenta la vita della comunità nel corso del tempo con lapidi, illustrazioni, testi vari; un'altra è invece dedicata alla raccolta di argenterie rituali, mentre una terza sezione contiene vecchi arredi e rivestimenti in preziosi tessuti ricamati.

Appendice. Istituzioni e centri ebraici nella Roma attuale

Scuole

Le scuole ebraiche romane vanno dall'asilo fino alle superiori e ad un istituto di studi ebraici.

Esistono inoltre un tribunale rabbinico, due bagni rituali ed altri servizi di generale interesse curati dalla Comunità israelitica che, per molti aspetti, continua l'antica Università Israelitica, coordinatrice della vita del Ghetto. Essi sono:

Luoghi di cultura e di culto

Centro di cultura ebraica, in via del Tempio 4, con una «Mostra permanente della comunità israelitica di Roma», che presenta documenti originali della storia della comunità stessa, argenterie cerimoniali, arredi sacri ed altro;
Tempio maggiore, in lungotevere Cenci;
Tempio spagnolo, in via Catalana;
Oratorio Di Castro (rito italiano), in via Balbo;
Oratorio aschkenazita, in via Balbo;
Oratorio tripolino (rito spagnolo), in via Pozzo Pantaleo;
Oratorio tripolino (rito spagnolo), in via Garfagnana;
Tempio Beth El (rito spagnolo), in via Padova;
Oratorio dell'ospedale (rito italiano), in via della Magliana;
Tempio della scuola «Vittorio Polacco» (rito spagnolo), in lungotevere Sanzio.

Negozi e servizi

Per i servizi alimentari ricordiamo:

Le macellerie Kasher:
Buhnik, via Urbana 117;
Habib, via Tripolitania 105;
Massari, piazza Bologna 11;
Rabbà, via Filippo Turati 110/112;
Terracina, via Portico d'Ottavia 1b.

Ristoranti Kasher:
Uno, di Gianni Zarfati, via Portico d'Ottavia 7b;

Lisa, via Foscolo 16/18;
Meeting Meal (Fast food), via Portico d'Ottavia.
Altri ristoranti con cucina ebraico-romana:
Al Pompiere, a S. Maria de' Calderari (celebre per i filetti di baccalà);
Luciano, in via Portico d'Ottavia 16 (fritture);
Giggetto, in via Portico d'Ottavia 21 (famoso per i carciofi);
Piperno, in via Monte de' Cenci 9 (rinomato per i fritti di verdure e mozzarelle).
Una rinomata pasticceria Kasher è *Boccione*, in via Portico d'Ottavia.
Recente ma importante è la *Libreria Menorah*, in via Portico d'Ottavia 1b (con circolo culturale).

Ricordiamo poi che cosa ha rappresentato e ancora parzialmente rappresenta il Ghetto nella attività commerciale con la densa presenza di esercizi al dettaglio e fondachi di vendite all'ingrosso e semi-ingrosso. Il carattere disadorno e spesso confuso di questi ambienti ricorda certamente i commerci del Ghetto originario, con i cupi anfratti in cui si depositavano soprattutto oggetti smessi e stracci, magari di valore. Anche se l'attività commerciale degli Ebrei si svolge per la maggior parte altrove, è rimasta in vita questa compatta concentrazione commerciale che attira soprattutto quanti amano fare spese convenienti, favorite, oltre che dalla massa delle vendite, dalle scarse concessioni al lusso delle ambientazioni. Nomi come Limentani (al portico d'Ottavia, specialista in vasellame ed articoli casalinghi), Di Porto, Picchio, Di Segni, Spizzichino, Calò (tutti questi per l'abbigliamento ed altri generi di largo consumo) continuano a rappresentare un vero richiamo. Ristoranti e commerci costituiscono di conseguenza una importante attrazione per la Roma non ebraica, che ha così motivo di scoprire i particolari aspetti di ambiente, ma anche umani, che perdurano nell'area di quello che fu il «serraglio degli Ebrei».

Indice

Roma tascabile